DILEWYD O STOC
80 6029109 9
WITHDRAWN FROM STOCK
D1629586

HENRY de MONTHERLANT

UNIVERSITY COLLEGE
LIBRARY

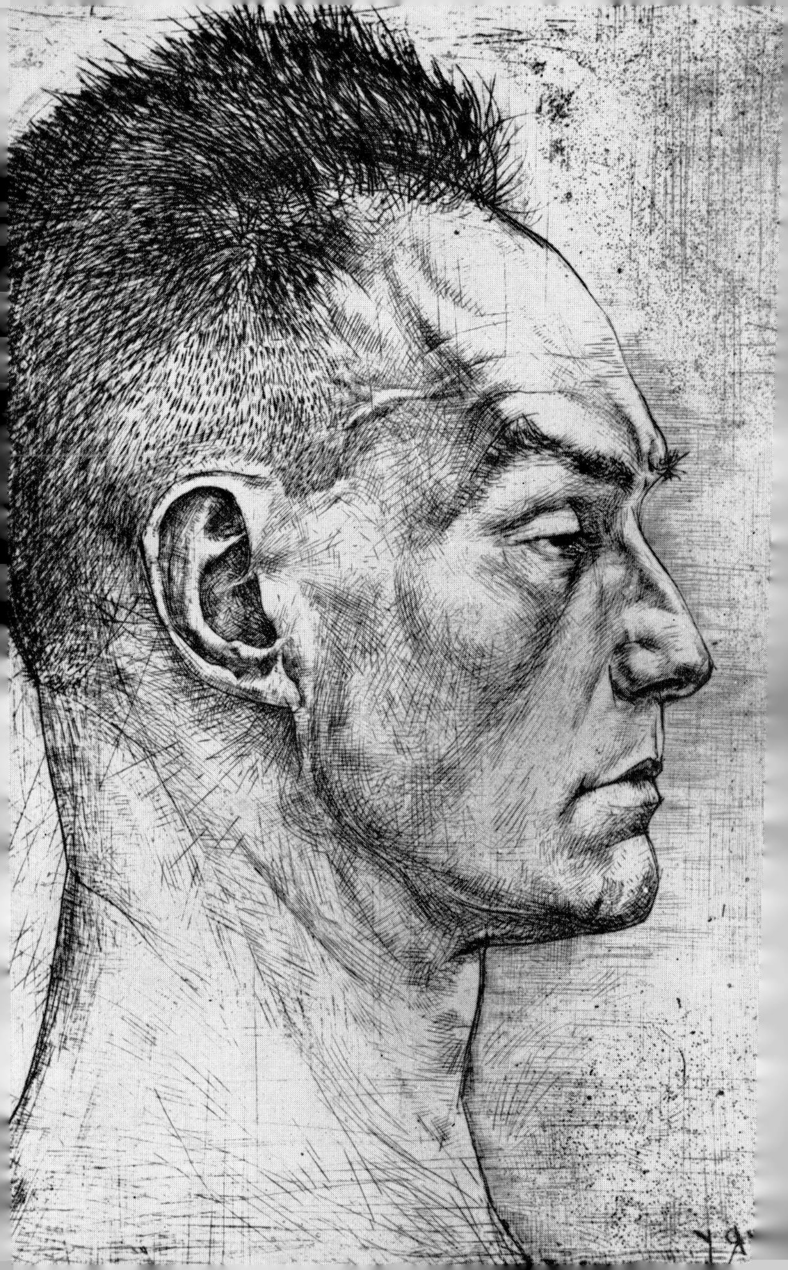

GEORGES BORDONOVE

HENRY de MONTHERLANT

Essai suivi de *Textes Choisis*
et d'extraits des *Carnets*
de Henry de MONTHERLANT

2e Edition

UNIVERSITY COLLEGE OF WALES
LIBRARY
ABERYSTWYTH

CLASSIQUES DU XXe SIÈCLE
Éditions Universitaires
72, boulevard Saint-Germain
PARIS

IL A ÉTÉ TIRÉ DE CET OUVRAGE,
LE DIX-HUITIÈME DE LA COLLECTION CLASSIQUES DU XXᵉ SIÈCLE,
50 EXEMPLAIRES SUR PRIMALFA,
DONT 5 NUMÉROTÉS DE I A V
HORS COMMERCE
ET 45 EXEMPLAIRES
NUMÉROTÉS DE I A 45

Tous droits de reproduction, de traduction et d'adaptation
réservés pour tous pays, y compris l'U.R.S.S.
Copyright by « EDITIONS UNIVERSITAIRES » 1958

PQ2625 O59Z6

T9751

A Madame Amédée Ponceau.

La clarté orne les pensées profondes.

VAUVENARGUES.

Il faut écrire comme si on était compris, comme si on était aimé, et comme si on était mort.

MONTHERLANT.

I

L'ACTION ET LA CONTEMPLATION

Sa vie, tendue par un constant effort, mais traversée de nostalgies et de songes, ne se peut séparer de son art, car elle unit l'action à la contemplation. C'est pourquoi il répète souvent qu'elle fut « heureuse ».

*
* *

Henry Millon de Montherlant est né le 21 avril 1896, à Paris.

Sa famille paternelle, originaire dit-on de Catalogne, se fixa très tôt en Picardie. Les Millon, chevaliers d'antique race, assumèrent diverses fonctions, tant militaires qu'administratives, dans cette province et à la Cour. L'auteur commun des différentes branches a un frère garde du corps d'Henri III. Son fils, Jehan Millon de La Morlière, lieutenant du roi, s'illustra dans la défense de Corbie et de Montdidier contre les Espagnols. Par lettres patentes datées de Saint-Germain (décembre 1636), Louis XIII le récompensa en lui octroyant les armes qui remplaceront désormais le blason précédent. C'est la tour enflammée à laquelle Montherlant a fait plus d'une fois allusion dans son œuvre. « Ces armoiries, sur la pierre tombale de Montherlant, qu'évoquent-elles sinon le service ? Cette tour qui flambe, ces deux glaives (« les deux sabres du samouraï », disait Curel) rappellent très précisément un acte fait pour le service du roi ». Et le Maître de Santiago s'écriera : « Voilà ma tour et mes créneaux ! » Etc...

En latin du Moyen-Age, ce patronyme de Millon signifierait chevalier.

Le père d'Henry de Montherlant, « petit homme au teint bistre, aux cheveux, aux moustaches et aux grands yeux noirs, aimant par-dessus tout les objets d'art et les chevaux, faisant encore à cinquante ans de la haute école au manège [1] », n'eut que peu d'influence sur son fils. Montherlant fut exclusivement élevé par des femmes : sa mère et sa grand'mère.

Sa mère était une Riancey, petite-fille du comte Henry de Riancey, homme politique du XIXe siècle, champion de la religion et de la monarchie. Madame de Montherlant avait été l'une des jeunes filles les plus lancées de Paris, « raffolant du bal, des flirts, des bijoux, de l'Opéra-Comique » [2], tout à la fois très collet-monté et très indépendante. La naissance de son fils la frustra de cette existence de plaisirs. Elle passa vingt années dans son lit ou sur une chaise longue, reportant toute son affection sur son fils, devenant pour lui une camarade, voire une mère complice. Il lui racontait ses aventures de cœur. Ces confidences nourrissaient l'imagination de Madame de Montherlant.

[1] *Service Inutile.*

[2] Montherlant : *Sur ma mère* (*Montherlant par lui-même*, Pierre Sipriot).

Sa grand'mère, Madame de Riancey, née Potier de Courcy, était l'élément pathétique de la famille. Montherlant vécut sous son toit jusqu'à l'âge de vingt-sept ans.

Elle vivait en recluse, le chapelet aux doigts, dans un décor de chapelle ardente. Quand elle mourut, on s'aperçut qu'elle portait un cilice. C'est de cette grand'mère, bretonne bretonnante, que Montherlant hérita d'un manuscrit du XVIIIe siècle, journal de bord d'un conventicule janséniste.

De ses aïeux catalans-picards, Montherlant tient le sérieux, la hauteur et certain aspect taciturne de son caractère. Des champenois il a l'appétit de vivre, une propension aux aventures de cœur. De l'aïeule bretonne et janséniste, le sens du tragique, le ton pascalien de la phrase et de la pensée.

*
* *

Au lycée Jeanson-de-Sailly, Montherlant ne laisse d'autre souvenir que celui d'un élève moyen. De même à l'école de Neuilly qu'il fréquente pendant trois ans. Nul ne se doute qu'il se lève chaque matin à six heures, en secret, pour écrire. Faure-Biguet nous renseigne sur ses premiers essais. De cette période nous ne retiendrons que trois faits : le jeune Montherlant a pleuré sur la mort de Don Quichotte; il a découvert l'Antiquité en lisant *Quo Vadis*; il a assisté en 1909 à sa première course de taureaux et, enthousiasmé, s'est initié à la tauromachie.

En 1910, il entre à Sainte-Croix de Neuilly pour y préparer le baccalauréat. Très vite, au sein de son petit groupe, il donne le ton. On copie ses attitudes, sa façon de s'habiller, d'écrire et de parler. Il devient le point de mire. On le nomme président de « l'académie littéraire » du collège; puis, on le renvoie « pour mauvais esprit ».

A la déclaration de guerre, il n'est pas mobilisable. Il se cultive; refait ses humanités, lit Gœthe, Nietzche, d'Annunzio; subit l'influence de Barrès. Il semble qu'il n'ait pas encore le désir de se battre. Pourtant il écrit *L'Exil*, tout rempli de ce désir. En 1916, classé service auxiliaire, il est, sur sa demande, versé dans le service actif et affecté au 360e régiment d'Infanterie. En 1918, il est grièvement blessé : sept éclats d'obus dans la région des reins.

De 1921 à 1924, il est secrétaire général de l'œuvre de l'Ossuaire de Douaumont. Il s'adonne au sport — il court le 100 mètres en 11 secondes 4/5 et pratique le football. En 1920, paraît *La Relève du Matin*. En 1922, *Le Songe*. En 1924, ce sont les deux *Olympiques* et *Le Chant funèbre pour les Morts de Verdun*.

« L'année 1924, écrit-il, m'apporta la notoriété et m'en retira le goût. »

En effet, il s'éloigne. Il liquide « la case familiale » et part sur les routes d'Espagne, d'Italie et d'Afrique du Nord. *Les Bestiaires*, *Aux Fontaines du Désir*, et *La petite Infante de Castille* paraissent successivement en 1926, 1927 et 1929. En 1930, il écrit *La Rose de Sable*, œuvre tolstoïsante et anticolonialiste qu'il renonce à publier.

Mors et Vita, paru en 1932, atteste qu'il a recouvré son équilibre, acquis, dans le voisinage de la mort, une sagesse un peu étrange, basée sur le détachement et le rassasiement : *Explicit Mystérium* est en cela très significatif. En 1934, il donne *Les Célibataires*, le plus achevé de ses romans. Le voici désormais en pleine possession de ses moyens.

1935 fut une date-charnière de sa vie, de même que 1925. C'est l'année où, pour la dernière fois, il va en Afrique et en Espagne; où il décide de ne pas se marier, après une ultime expérience de fiançailles. Expérience qui lui inspira les quatre tomes des *Jeunes Filles* (parus de 1936 à 1939). La perspective de la guerre prochaine l'obsède. Il a tout ensemble un certain désir qu'elle éclate, par goût de l'aventure, hâte d'en finir, amour de la guerre en soi, et il est épouvanté pa impréparation matérielle et morale de la nation. *ice Inutile* (1935) et *L'Équinoxe de Septembre* (1938) lètent cet état d'esprit. Montherlant veut faire un ampagne pour inciter les Français à prendre au sér x les mesures de défense contre les gaz ; il deman les documents nécessaires au ministre de la Gu re qui les lui promet, mais ne lui en envoie aucu *L'Équinoxe de Septembre* montre sa position violemme anti-munichoise. On le désapprouve.

En 1939, il essaie de s'engager. Mais après deux congestions pulmonaires, il doit s'abster . En 1940, il part au front comme correspondant guerre du journal « Marianne ». Blessé à l'aine, lié dans le Midi, il rentre à Paris en 1941 et publi le *Solstice de Juin.*

Il se tourne alors vers le théâtre. Il onne successivement *La Reine Morte* (1942), *Fils de rsonne* (1943), *Malatesta* (1946), *Le Maître de Santiago* 947), *Demain il fera jour* (1949), *Celles qu'on prend dans s bras* (1950), *La Ville dont le Prince est enfant* (1951). Il remporte de grands succès. *Le Maître de Santiago* a plus de huit cents représentations.

En 1953, il publie, sous le titre : *Text s sous une Occupation*, les essais parus pendant la pér de 1940-1944. A la fin de 1954, *Port-Royal*. Il annonce, dans la Préface de cette pièce, son intention d'abando ner le théâtre ; mais, en 1956, il revient à ce genre vec *Brocéliande*. En 1957, il publie, en rassemblant les notes inutilisées des années 1930 à 1944, ses *Carnets*.

II

LA PIERRE D'ANGLE

> « *C'est ici la pierre de l'angle, la pierre qui soutient et qui unit tout l'édifice.* »
>
> BOSSUET.

A l'orée de cette œuvre, il y a *L'Exil*, pièce en trois actes, écrite à dix-huit ans. « Elle témoigne, dit M. André Ferran, d'un état d'esprit dont les garçons d'aujourd'hui n'ont aucune notion. Au début de la guerre de 1914, le désir de s'engager et d'aller au combat poussait bien des jeunes gens à devancer l'appel de leur classe, et on jugeait comme un scandale le non-conformisme intellectuel sur le point d'honneur [1]. »

Philippe de Presles a dix-huit ans (l'âge de l'auteur).

[1] *Théâtre choisi de Montherlant* : Classiques Vaubourdolle.

Il est impatient de « monter au front » et décide de s'engager le même jour que son ami Sénac. Mais Geneviève, sa mère, le lui interdit. Philippe lui prédit qu'elle regrettera son refus. Bientôt en effet il déchire ce qu'il a adoré, accentue la mauvaise part de son caractère. Ses paradoxes scandalisent les amies de sa mère, mondaines et bien-pensantes. Retournement de Geneviève qui supplie son fils de partir, pour qu'il redevienne lui-même. A son tour, il refuse. Son ami Sénac est revenu, légèrement blessé; il lui présente ses camarades de guerre. Philippe se sent en infériorité devant eux. Il en veut à Sénac de les lui avoir amenés, et se brouille avec lui. Geneviève est heureuse que cette amitié qu'elle n'approuvait pas, ou dont elle était confusément jalouse, ait pris fin. Mais elle sera encore déçue. Philippe partira pour se refaire une âme semblable à celle de Sénac.

Cette pièce, âpre, tendre et déconcertante est la préface et la clef de l'œuvre de Montherlant. Elle « agaçait » Curel qui d'abord porta sur elle un jugement assez dédaigneux, puis reconnut qu'à dix-huit ans il eût été bien incapable de l'écrire. Sans doute est-elle imparfaite. On peut y relever des bavures, des redites, des impropriétés, une laxité certaine dans la construction. Mais cette curieuse pièce contient en germes les personnages futurs, les idées et les thèmes essentiels de son auteur.

Ce Philippe, tantôt d'une extrême puérilité, tantôt cynique, tantôt sensible et tantôt blessant (et blessant pour rien !) rappelle le Costals des *Jeunes Filles*. Mais sa faim de pureté l'apparente au Maître de Santiago : comme celui-ci, il étouffe au milieu des siens; il est impatient de mener une vie plus haute. En outre, on le sent déjà rempli de ce goût d'appréhender le monde à travers soi, de le dominer, en payant le prix : et c'est alors Malatesta, le roi Minos, Alban de Bricoule. Notons aussi la certitude d'être à l'écart, différent des autres, et non fâché de l'être; et l'appétit de grandeur qui en est la conséquence, ligne de force de la pensée de Montherlant.

On trouvera dans cette pièce le thème de l'incohérence humaine si cher à Montherlant, et qu'il reprendra, en l'amplifiant, dans *Malatesta*. Ce sont les créatures qui entraînent nos décisions; le reste est apparence et duperie. « Tout vient des êtres » est le titre d'un chapitre du *Songe*.

On y trouvera aussi le thème de la tendresse parentale toujours maladroite et toujours déçue : Philippe de Presles annonce le Gillou de *Fils de Personne* et de *Demain il fera jour*.

Le thème de l'engagement absolu : « *Oui, s'écrie Philippe, l'amateur, toujours! Toujours à côté. Toujours en dehors. Manquer de cela ! Manquer la guerre ! Être là parmi les vieillards, les femmes et les culs-de-jatte, sans pouvoir rompre ce cycle infernal de la solitude. Manquer cette occasion de vivre, de souffrir, d'aimer, de me donner, de me transformer en le meilleur de moi-même ! Moins que cela, c'est-à-dire plus encore, manquer, tout simplement, cette occasion de devenir pareil aux autres ! Mais non, l'Exil, toujours l'Exil ! Hier, au collège, je me mêlais et c'est pourquoi j'ai été si heureux. Et puis le collège qui m'exile, pour je ne sais quelle bêtise, quand j'avais fait de lui ma chose et mon amour. Et puis la guerre, et exilé de la guerre. Et demain, comme aujourd'hui, de tout ce pour quoi je suis fait tantôt par ma faute, à cause de ce que je suis, tantôt par la faute des autres...* »

Le thème de l'occasion manquée : « *Et voici que pour ma vie entière cette unique chance d'être cela m'a été enlevée, et enlevée par vous. Ah, c'est déjà une chose affreuse qu'il suffise d'une petite étincelle pour embraser ce qu'il y a de bon en moi.* »

Philippe se sent deux âmes, deux « parts ». Si l'une est contrainte, il libère l'autre, lui accorde pleine expansion, dût-il en pâtir, sachant qu'il en pâtira. « *Si je n'ai pas le vin que j'aime, vive l'eau de l'égoût plutôt que la piquette. Au front, j'aurais été très bien. On me refuse le front ? Soit. Il y a en moi mon autre âme, celle qui dit non; eh bien, qu'elle me possède !* » Cette dualité spirituelle réapparaîtra dans la théorie de l'Alternance développée dans *Aux Fontaines du Désir*.

Le code d'honneur chevaleresque énoncé dans *Le*

Solstice de Juin figure à l'état d'ébauche dans cette réplique : « *J'outrerai mon esprit militaire, rien que pour agacer ces morveux dont aucun ne l'a; j'accepterai toutes les incommodités pour le plaisir de la sensation imprévue; je serai très affable parce que je suis très chic, très religieux par fierté de faire rire de moi... Ah tout cela, ça ne devrait pas être permis que ce soit si merveilleux, ça enlève tout le mérite !* »

Cette idée, reprise dans *La Relève du Matin*, selon laquelle la guerre, c'est « du collège en grand »; la pureté adolescente du *Songe*; l'âcreté des *Bestiaires*; l'amertume et l'ironie des *Célibataires*; la bonne humeur un peu crispée des *Jeunes Filles*, les cimes désolées du *Maître de Santiago*; l'irritation douloureuse de *Fils de Personne*; le conflit grandeur-tendresse de *La Reine Morte*, tout cela est présent dans *L'Exil*.

Une phrase au moins en devrait être retenue, surprenante dans la bouche d'un garçon de dix-huit ans : « On m'a exilé de ma patrie profonde ».

III

LE BUISSON ARDENT

> « *Vous avez fait de tout cela un buisson ardent.* »
>
> (Lettre citée par Montherlant).

« *Je ne reste pas sur le bord !* » s'exclamait Philippe dans *L'Exil*. Autre phrase-clef : Montherlant ne s'engage pas à demi dans ses passions ; il les vit intensément ; et, quand il en a exprimé tout le suc, il ne les expulse jamais entièrement, il en garde un tenace souvenir. Souvenir parfois confondu avec le regret des occasions manquées, car l'excès de passion nuit à la réalisation.

Ainsi du séjour à Sainte-Croix de Neuilly qui inspira *La Relève du Matin*. Pour mesurer la passion de Montherlant pour son collège, il faut lire cette suite d'essais, en faisant la part des exagérations, en écartant les draperies du style. Au vrai, *La Relève* n'est qu'un vaste poème symphonique.

Des religieux ont attesté qu'il s'agissait là d'un livre authentiquement chrétien. Chrétien ? Admettons : l'épithète a tant de significations. Mais « catholique » ? Cela est une autre question. Il est indubitable que ces essais ne pouvaient être écrits que par un catholique d'écucation et d'hérédité. Mais il apparaît que la part humaine est infiniment plus grande que la part spirituelle. Et même osera-t-on affirmer qu'il y a là plus « d'attitude » que de foi réelle. Ce qui ne veut pas dire que le catholicisme de *La Relève* soit insincère; mais qu'il manque de solidité, qu'il est affaire de sensibilité plus que de cœur. C'est un catholicisme d'apparat qui a besoin, pour se soutenir, de la magnificence du décor. Où, comme Montherlant l'écrit lui-même il y a « du palais et du monastère, de la Rome des Césars et de la Rome des Papes et de la vieille France du Moyen-Age, songe splendide préparé pour la descente du divin, pour de merveilleux orchestrants et pour les éclats de la vie ardente ».

Mais, bien plus qu'une ode au catholicisme (*La Gloire du Collège* fait penser au curieux temple pagano-chrétien que Malatesta bâtit à Rimini), *La Relève* est une évocation passionnée de la vie du collège.

Pourquoi Montherlant a-t-il conçu un si violent amour pour Sainte-Croix ? (Tel, qu'il écrira : « Il lui semblait que tout ce qu'il avait vécu depuis, ç'avait été comme une infidélité. »). Peut-être s'est-il un peu monté la tête : « *C'est vrai, je mérite qu'on me dise, comme Diotime, la divine femme, à Socrate : Tu aimes ce que tu songes, non ce que tu vois* ». En réalité ce qu'il a découvert à Sainte-Croix, c'était un Ordre. C'est là qu'il fondera sa chevalerie de garçons. *La Gloire du Collège* est une action de grâces à l'Église qui permet aux âmes de se connaître et de s'élever les unes par les autres, qui leur offre cette chance unique. En ce sens, oui, *La Relève* peut être considérée comme un livre catholique.

Ce fut encore à Sainte-Croix qu'il fit ses premières

expériences humaines. Là qu'il s'enthousiasma pour ce miracle d'équilibre qu'est le génie de l'adolescence : « *Treize ans ! Balzac a écrit « La Femme de Trente ans »*, *donnant à cet âge une figure toute particulière. L'âge de treize ans chez les garçons me semble aussi à part, aussi nettement distinct des douze et des quatorze ans. Brève année éclatante ! Sénèque a un mot voluptueux, pour dire que la splendeur de l'enfance paraît, surtout à sa fin, comme les pommes ne sont jamais meilleures que lorsqu'elles commencent à passer. A treize ans, l'enfant jette son feu avant de s'éteindre. L'enfance traverse de ses dernières intuitions les premières réflexions de l'adolescence. L'intelligence est sortie de la puérilité, sans que l'obscurcissent encore les vapeurs de la vie pathétique qui va se déchaîner dans quelques mois. Avant de s'en aller pour sept ans dans de redoutables oscillations, l'être se repose une minute en un merveilleux et émouvant équilibre. Jamais cet esprit n'aura plus de souplesse, plus de mémoire, plus de rapidité à concevoir et à comprendre, jamais ses dons ne se montreront plus dépouillés. Il n'est rien qu'on ne puisse demander à un garçon de treize ans* ».

Ce qu'il admire en cet âge, c'est d'abord le besoin de vérité (l'adolescent ne triche pas; il va droit au but, touche d'instinct le point sensible; peu lui importe d'être désagréable ou non), puis l'intuition à l'état pur, enfin la spiritualité et le besoin de spiritualité, qui s'éteignent à mesure que s'épaissit le corps.

Ce qu'il craint, ce n'est pas l'exacerbation de ces qualités, mais leur ensommeillement. Selon lui, pour que l'adolescence soit valable, elle doit présenter le double caractère du génie et de la folie. Et pour y atteindre, il n'hésite pas à conseiller : « *O Prêtres, dans certaines âmes, pour l'amour de Dieu et pour l'amour d'elles, systématiquement, créez de la crise !* ». Il ne redoute pas les remous qui peuvent en résulter. Le but qu'il recherche n'est pas une sagesse moyenne, mais la flamboyante beauté intérieure de l'âme.

Les adolescents jalonneront son œuvre, tous d'une parfaite vérité : depuis le jeune Peyrony des *Olympiques* jusqu'au Prince-Enfant de *La Ville*, en passant par le

Gillou de *Fils de Personne*, par le page Dino del Moro de *La Reine Morte*, par une dizaine d'autres, crayonnés d'un trait plus rapide.

Le lecteur attentif retrouvera, transposées dans *La Ville dont le Prince est un Enfant*, des scènes entières de *La Relève du Matin*. « *Oui, c'était vraiment toute la vie du monde qui palpitait dans cette petite chambre sourde; et toute la vie aussi que chacun de ces garçons allait vivre, comme les rythmes du drame musical sont déjà tous dans le prélude, et le drame vit là-dessus. Ainsi elle était là, immuable et hermétique, oubliette de tragédies décriées, témoins des mêmes gestes répétés d'âge en âge dans le même fauteuil par des êtres dont chacun s'était cru un être à part...* » Cette chambre deviendra la cellule de l'Abbé de Pradts dans *La Ville*. Là se déverseront aussi, d'un rythme égal, les réprimandes et les confidences. Le dialogue du prêtre et de l'élève difficile dans *La Relève du Matin* est, presque textuellement, celui de l'Abbé de Pradts et de Sandrier dans *La Ville* : « *Vous me forcez à vous le dire : il n'est personne ici qui ne soit fatigué de vous, qui ne soit excédé de vous, excédé comme vous ne pouvez pas le savoir — Oh, si, je sais bien ! — Mais alors, mon pauvre petit...* ». Quant à cette « paternité douloureuse de ceux qui sont condamnés à être appelés « Mon Père », elle possèdera jusqu'à l'égarer, l'Abbé de Pradts ».

Ces âmes de collège, il en connaît la fragilité. La guerre sauvera les meilleures. Les autres s'engloutiront dans la vie quotidienne. Mais, des années et des années encore, il entendra leur « long sanglot déchirant se mêler à une musique qui s'éloigne, suprême symphonie merveilleusement vaine et perdue comme cet hymne qui, du Titanic en flammes, monta par la mer déserte et la nuit ».

Voudra-t-il rompre complètement avec la religion de sa jeunesse qu'il ne le pourra pas. Les cendres du Buisson Ardent ont à jamais fertilisé son âme.

IV

SUM CIVIS ROMANUS

« *De Montherlant, comme de Barrès, on peut dire qu'il est un homme de la Renaissance, ou même un homme de l'Antiquité égaré en plein vingtième siècle.* »

Pierre de Boisdeffre [1].

« *Sum civis romanus, dit le Père, avec les mots de Saint Paul. Et la parole était plus grande que jamais, et mystérieuse et troublante...* »

Montherlant (*Le Songe*).

Montherlant avait neuf ans, quand il lut *Quo Vadis*, le roman du Polonais Sienkiewickz. Il eut, dit Faure-Biguet, l'impression de retrouver une patrie perdue.

[1] *Métamorphose de la Littérature*, I.

Et aussitôt, de « pétroniser ». Enfantillages ? Il semble bien que le roman polonais n'apprit rien au garçonnet Montherlant, qu'il joua seulement le rôle d'un bon révélateur. A travers l'Antiquité, Montherlant découvrait sa personnalité en puissance. Génie de l'enfance de pouvoir ainsi embrasser toute l'étendue d'une vie, de pétrir le futur avec le levain du passé. L'attitude de Pétrone et celle de Costals sont semblables : sensualité, élégance et dédain de la femme. L'indifférence devant la mort, qui était chez les Anciens la vertu majeure, resurgit, intégralement, dans *Explicit Mysterium* [1]. Et, sur le registre inférieur, nous voyons les jeux du cirque perpétués par le duel tauromachique des *Bestiaires*.

Cette passion de l'Antiquité influera sur le style et la pensée de Montherlant. La passion pour Sainte-Croix ne l'amoindrit pas; et même indirectement elle l'entretint. Là-dessus, nous sommes éclairés par ce passage du *Songe* : « *Et ce qu'il voyait à présent dans ce Pape, ce n'était pas le lointain pasteur, mais un chef autrement vivant qu'on ne sait quel personnage en queue de pie : celui-là dont le temple se dresse à Rome sur l'emplacement même de l'ancien temple de Jupiter, Divus Benedictus, l'empereur, le César chrétien* ».

Passionné de vie antique, Montherlant ne se bornera pas à « pétroniser »; il essaiera de la vivre pleinement. La guerre lui offrit cette occasion, après les joutes avec les taureaux d'Albacète.

LA GUERRE

Son attente de la guerre, il l'évoqua dans *L'Exil* et dans *La Relève du Matin*.

Dans *La Relève*, une épée sanglante est suspendue au-dessus du front des collégiens. L'holocauste pro-

[1] *Mors et Vita.*

chain confère à l'œuvre une sorte de gravité douloureuse : ces enthousiasmes juvéniles, nous sentons qu'ils n'auront pas de lendemains.

Dans *L'Exil*, la guerre a moins le caractère d'une menace que d'une tentation. D'un Ordre de la pureté, les collégiens de Sainte-Croix entreront de plain-pied dans l'Ordre des guerriers. Philippe est impatient de combattre, pour se refaire l'âme qu'il avait à Sainte-Croix. Il est las de traîner son dilettantisme, son intellectualisme dans les salons. En s'engageant, il deviendra Alban de Bricoule.

Comme dans *L'Exil*, Alban, le héros du *Songe*, part pour rejoindre un camarade, mettant au-dessus de tous autres sentiments, l'amitié. L'aspirant Prinet, du *Songe*, c'est exactement le Sénac de *L'Exil*. L'amour de Geneviève prend le masque de l'amour de Dominique. Et, pareillement, Alban se détachera-t-il de la guerre, lorsqu'il ne sera plus soutenu par l'amitié de Prinet.

Mais, en outre, Alban part au front, avec une âme de guerrier antique. La guerre est à la hauteur du songe de son adolescence. Enfin, les signes prestigieux, les présages, les grandes douleurs, les voluptés sauvages qu'engendre la violence, les joies qui naissent de la victoire, se présentent à portée de main; il n'est que de les saisir ! Et Montherlant de nous faire bonne mesure d'images « antiques ». Pour lui, Dominique Soubrier, « d'une virilité charmante », est « Sœur des Victoires »; un appel de trompette est pareil « à celui des buccins, aux portes du cirque, saluant l'arrivée de César »; le caporal éventré a les cheveux coupés à la Gracque; Marc-Aurèle et Platon participent à la communion des morts. Constamment, « la grande vie antique envoie à son fils exilé le petit peu qu'il fallait pour faire davantage de beauté et de force; le grand tombeau s'entr'ouvrait et il en sortait une chouette ou un aigle ».

Néanmoins, ces réminiscences ne sont guère plus que des astragales littéraires. Un abîme sépare ce que

Montherlant demandait à la guerre (l'assouvissement de ses instincts) de ce qu'elle lui a donné. Très vite, elle lui apparaît « comme un immense Tiers-Ordre », « comme la victoire de l'ordre, c'est-à-dire la victoire d'un état où les choses occupent les places et les rangs qu'elles méritent », à la fois comme un bain dans l'élémentaire et comme « le saint royaume des forts ». Et telle, la guerre deviendra un instrument de connaissance : « Maintenant, il savait ce qui compte et ce qui ne compte pas ». Il pourra trembler de colère en tuant l'Allemand qui l'assaille au tournant d'un boyau, s'enivrer de la victoire à la façon de « ses brigands d'aïeux... tous pouffant d'orgueil, avec leur dureté de vie, leurs pilleries, leurs dénis de justice, leurs vices de bien portants, tout ce qui leur a tanné et basané l'âme sur les chemins de ronde des châteaux-forts », il reste ce qu'il est en secret : un tendre. « Hélas, écrivait-il dans *L'Exil*, je suis un tendre. On ne s'en douterait pas. » Et d'une certaine tendresse le courage s'accommode fort bien. Avec raison il note que les compagnons de Roland étaient des tendres, qu'on a le pleur facile dans nos vieilles Chansons de Geste. La guerre a libéré en lui les sentiments de pitié, d'humanité qu'il réfrénait, ou qu'il ignorait. Et son âme brûle d'un feu plus clair et plus haut devant la souffrance. « Le guerrier antique » assiste le caporal breton dans son agonie et, ne pouvant faire mieux, l'embrasse fraternellement. Il s'irrite de voir « une belle » photographier des blessés allemands recroquevillés au soleil. Il n'hésite pas à porter réconfort à l'un d'eux, sachant qu'il en sera blâmé. Son patriotisme est vif, mais exempt de préjugés; il repose en partie sur le respect de l'ennemi, sentiment qui procède de l'honneur chevaleresque et même de la charité.

Dans son *Discours aux Étudiants Allemands* [1] (1929), discours qui ne fut jamais prononcé, il relate l'émotion qu'il ressentit lorsque, de la tranchée d'en face,

[1] *Mors et Vita.*

il entendit monter un hymne religieux et quel fut son saisissement quand, un soir, il vit « *la nuit tombante donner une teinte uniforme aux capotes des morts français et allemands, comme s'ils étaient tous d'une même patrie* ».

Ce qu'il éprouve alors n'est plus que le sentiment d'une immense fraternité humaine. En lui, la profondeur succède toujours à la véhémence.

*
* *

Après l'armistice, il gardera ce qu'il a appelé « une âme de mutilé de paix ». La guerre ne le lâche pas; elle demeure à l'arrière-plan de sa pensée. En 1924, il écrit *Le Chant Funèbre pour les morts de Verdun*. Un peu plus tard, alors qu'il croit « en avoir fini avec les trous d'obus », les essais réunis dans *Mors et Vita*, en particulier la nouvelle : *Un petit Juif à la Guerre*. Il est impuissant à se déprendre de ses souvenirs. Il n'a pas perdu le contact; et le perdra-t-il jamais ? Errant sur le champ de bataille de Douaumont, il redevient, dans l'instant, le soldat de 1916. Il communie avec les morts innocents (et, parce qu'ils n'ont fait de mal à personne, ils seront plus vite oubliés); il a « dans la main le vieux bâton de tant de peines, dans la poitrine le vieux cœur inchangé »; dix fois il est tenté de s'arrêter et de s'étendre, afin de ne plus quitter ceux qui sont là : « Quelle peur pouvaient-ils me faire, disjoints, demi-poussière, quand, cadavres et répandant l'odeur (pas plus gênante que du brûlé ou du moisi), je m'endormais avec ma tête dans le creux de leurs omoplates, comme si je n'avais connu d'autre oreiller ? ». Ce vieux cœur inchangé, l'amour pour les camarades morts et le regret du temps de l'élévation le remplissent.

On a confondu, à des fins qu'il est superflu de préciser, cet amour-ci avec l'amour de la guerre. On a reproché à Montherlant d'être un belliciste, « une brute casquée ». Pour comprendre sa position, il suffit de méditer ces lignes extraites du *Chant Funèbre* : « *Quelqu'un de mon âge a pu écrire que la guerre était la plus tendre expérience humaine qu'il eût vécue. Vous entendez bien : tendre. Des êtres portent leur âme comme un vase plein et clos. Qu'une main les brutalise, les brise, ils se délivrent d'un flot de charité. Tendresse donnée, aussi tendresse reçue. Un extraordinaire désir nous soulevait, de nous faire estimer. Nous pouvons bien dire : « C'est le temps où nous étions aimés, aimés comme si nous étions morts » La fierté de recevoir cet amour levait la tête aux ilotes surpris.*

S'il a de la guerre une invincible nostalgie (ce qui aux yeux des pacifistes a paru monstrueux), c'est que la guerre l'a décanté de « ses malfaisances », lui a montré « ce peu de bon » qu'il y avait en lui. Ce qu'il regrette par-dessus tout c'est l'amour fraternel qui unissait les combattants. L'amour !

*
* *

Par la suite, sa ligne s'infléchira encore. Après avoir souhaité, réclamé une paix qui fût à l'image de la guerre : sans haine, mais sans faiblesse, il glisse vers une sorte d'indifférence ou plutôt d'acceptation de l'inévitable : « Un peuple qui vit sous la menace de son voisin, des gouvernants qui trahissent, cela s'est vu toujours. Les évènements qui nous attendent ne sortent pas du domaine classique, et la pensée que l'humanité les ressasse depuis le premier sourire du monde doit nous apprendre à être raisonnables et à les accueillir avec tranquillité. « Il repousse, comme dénuées de fondement, les doctrines pacifistes; leur préfère les leçons de l'Histoire qui enseignent l'éternité des guerres.

En 1940, civil en habit de soldat (il a repris les bottes, les couvertures roulées et la canne de 1916) Montherlant monte au front. Ce qu'il veut ? Retrouver « le saint royaume », fraterniser avec les combattants, revivre le temps du sacrifice. Et, de nouveau, cette attitude est mal interprétée. Ce qu'il désire, cette fois, c'est prendre seulement le bon de la guerre, se replonger dans le bain élémentaire; mais non tuer. Le violent est devenu un non-violent. A l'imitation des Hindous, il prend sa part de souffrance et de risque, pensant que cela sera compté, pèsera dans le plateau de la balance, servira sa patrie. Écrivant son « *Rêve des Guerriers* » [1], il sentira lui-même l'apparente vanité de cette attitude, intitulera l'un des chapitres : *Don Quichotte de la Somme.*

Devant le spectacle des armées en retraite, l'incapacité des cadres, cette espèce de gigantesque suicide collectif, la colère et la douleur l'égarent : « *Allant et venant parmi eux, ou plutôt à côté d'eux, allant et venant comme un tourbillon de douleur, à la manière de ces tourbillons de sable que le vent dresse et pousse de ça, de là dans le désert, puis dissipe, comme je voudrais être dissipé. Je suis la conscience qu'ils n'ont pas, et la douleur qu'ils n'ont pas. Comment ne m'auraient-ils pas en horreur ?* »

Il est la conscience, mais encore le souvenir : ce secteur de la Somme a été le sien en 1918; là, il a été victorieux; par cette route, on l'a évacué... Les visages des morts se substituent aux visages de ces vivants qui détruisent la gloire de leurs aînés. Tout le heurte. Tout le désempare. Tout lui est pierre d'achoppement. Blessé, il se couche sur la terre nue, ne voulant pas demander secours à ce qu'il méprise. Puis il erre, « spectre horrifié », sur les routes de l'exode. Réfugié dans une ville du Midi, l'insouciance générale, la pleutrerie de la jeunesse l'effarent. De plus en plus il est un étranger parmi ceux de sa race. Il rumine avec une tristesse affreuse : « J'ai écrit souvent que la guerre purifie. Je crois aujourd'hui qu'elle ne purifie que ceux qui aiment d'être purs ».

Plus tard, il croira à la résurrection de notre pays. Mais, en 1940, il ne peut refouler son désespoir. Et je pense que ce sentiment-là, démenti après coup par les évènements, fut celui de la plupart des anciens

[1] *Textes sous une Occupation.*

combattants de 1914, que leurs reproches, alors justifiés, témoignaient de la même douleur brisante.

SPORT ET TAUROMACHIE

1920. Montherlant est désorienté par la fin de la guerre. C'est un « mutilé de paix ». Il essaie de ne pas rompre l'enchantement tragique; il cherche à s'employer; il revoit *La Relève du Matin*; il écrit *Le Songe*; il est secrétaire général de l'Œuvre de l'Ossuaire de Douaumont. Ce faisceau d'activités ne parvient pas, et de loin, à combler le vide laissé par la guerre. Activité n'est pas toujours synonyme d'action. Montherlant est un inadapté, comme beaucoup d'anciens combattants.

Il jugulera la crise qu'il sent monter en lui, en se jetant dans le sport. Et, pour un temps, le sport lui procurera l'apaisement. Et lui inspirera *Les Olympiques* [1] qu'il estime le meilleur de ses livres. Car l'affaissement de l'après-guerre n'a point émoussé ses facultés d'enthousiasme. Montherlant aime avec exigence et emportement. D'où les titres qu'il donne à ses essais : *La Gloire du Collège* (dans *La Relève*), *La Gloire du Stade* (dans *Les Olympiques*), et son roman *Les Bestiaires* aurait pu s'intituler : La Gloire du Toril.

Le sport lui apprend beaucoup. En particulier, il lui permet d'étendre ses connaissances d'anatomie. Déjà, dans *Le Songe*, il décrivait le corps de Dominique avec la précision et le vocabulaire d'un médecin; un écorché, « fleur humaine », ornait le Cabinet de travail d'Alban. Au stade, il étudie avec passion et minutie les mouvements du corps : « *J'aime la réalité; elle n'a pas pour moi d'infiniment petits; rien en elle ne me semble indigne* ». Dans la course, « *l'instant de suspension et d'extension qui suit la détente de la jambe arrière* » *est un instant*

[1] Amédée Ponceau plaçait les *Olympiques* parmi les chefs d'œuvre du siècle.

particulier, différent par sa valeur de l'instant où le corps se détend, différent par sa valeur de l'instant où le corps se reçoit... La joie que donne le sport est une ivresse qui naît de l'ordre. Celle que vous ressentez à la lecture d'une belle fiche physiologique. »

De l'étude du mouvement il dégage la leçon du style : « *Quel est l'élément de son style ? Sa foulée. Quels sont les caractères de cette foulée ? D'une part elle est souple; d'autre part elle est franche et longue. Ce qui constitue son style, c'est donc l'aisance et la vigueur.* »

Tout ceci n'est pourtant qu'un point de départ. Montherlant n'abandonne rien au hasard (quoique, parfois, il s'en défende); il est minutieux jusqu'à la manie; il note, il épluche, il collige, il se documente, il observe, détestant l'inexactitude et l'impropriété. Mais l'émotion le hausse et l'emporte. Ce qui fait la supériorité des *Olympiques* sur la littérature sportive de notre époque, c'est le lyrisme. *Les Coureurs de Relais* (« *Tous quatre lancés comme une seule arme, comme une seule bête, comme une seule barque, le plus grand à la poupe et le plus petit qui est en avant...* »), *Mon Vieux, tu te souviens de ces Retours ?*, *Amis par la Foulée* (« *Nous avons couru côte à côte, deux beaux chevaux attelés à un même char* ») sont de véritables poèmes.

Le sport ne lui donne pas seulement le repos, ni des joies esthétiques; il lui restitue le vieil esprit d'équipe, la camaraderie masculine, le sentiment d'appartenir à un Ordre. Ce *Paradis à l'Ombre des Epées* n'est autre qu'un ersatz de la guerre, plus qu'une résurgence de la vie antique : « *De la violence ordonnée et du calme, du courage, de la simplicité, de la salubrité, quelque chose de vierge et de rude et qui ne s'examine pas soi-même : voilà ce que j'ai aimé dans la guerre, oui, aimé malgré toute la détresse et l'horreur, et voilà ce que j'ai retrouvé ici, voilà ce que me donnent ces trois jours par semaine, les seuls qui soient à ma mesure dans une vie qui est trop petite pour moi. Tout ici a partie liée avec la nature; la terre, le vent, le soleil sont des copains qui jouent contre nous et pour nous, et tu vois bien que nous étions tout à l'heure les frères de la pluie, comme j'étais dans la vieille guerre le frère des racines et de la nuit étoilée. De là sans doute cette bonté profonde...* »

Comme au front il méprisait les embusqués, au stade il méprise « les yeux cernés », ceux qui sont moralement et physiquement lâches, les ratés qui rendent la fatalité responsable de leur échec et haïssent les forts qui réussissent. Il s'enorgueillit de la discipline durement acquise. Mais il n'omet pas de préciser qu'elle est le produit des efforts conjugués de l'esprit et du corps préalablement dompté; que le dieu des gymnases, Hermès, était toujours accompagné d'Athéné, déesse de l'intelligence.

Il trace un portrait flatteur du jeune Peyrony, capitaine d'une équipe de football; montre que le sport a accentué les qualités intrinsèques du garçon : courage, gentillesse, dédain des gens frelatés, délicatesse, respect de l'autorité et désintéressement; mais il fait cette réserve : « Le sport est ce que le font les mœurs. Et les mœurs sont ce que les font, ou leur permettent d'être, les pouvoirs publics ». En Peyrony les exigences de l'esprit équilibraient celles du corps. Mais le corps a tout entraîné. Et Peyrony s'est fermé à tout le spirituel, l'intellectuel et le sentimental de la vie. La déficience du corps et son excès de force ont exactement les mêmes conséquences. Et c'est une autre forme de l'esprit petit-bourgeois que d'idolâtrer sa chair. Il rappelle qu'il existe d'autres problèmes que celui de se durcir les muscles : les problèmes de l'âme, de la vie sociale, de la patrie, de la religion. Et que, devant eux, il semble y avoir peu d'importance « d'être en tout et pour tout un as du football ». En somme, il aspire au *mens sana in corpore sano* des Anciens, si difficile à atteindre, encore plus à maintenir. Il sait (par l'exemple de Peyrony) combien cette harmonie est fragile, mais, pour réaliser le type humain dont il rêve, il n'hésite pas à sacrifier ce qu'il faut de plaisir et d'ambition, comme il dit : « à se renoncer ».

***

> « *De ese toro brindaste al sol, nuestro Padre invicto, que la fuerza y la arrogancia, Don Enrique, ésten contigo* [1]. »

« De ce taureau que tu dédias au soleil, notre Père invaincu, que la force et la fierté, don Henry soient en toi ». En ces termes un chanteur anonyme célébrait le matador don Henrique Montherlant ! Car, si ce dernier a fréquemment et bruyamment torée contre les hommes et les idées du siècle, il a aussi tué des taureaux. Le 19 septembre 1909, à Bayonne, il assista à sa première corrida. Coup de foudre. Il écrit à Faure-Biguet : « Je ferai certainement plus tard quelque chose là-dessus ». Ce « quelque chose » sera *Les Bestiaires.*

Dans *Les Bestiaires*, comme dans *Le Songe*, le motif central se complique d'une intrigue amoureuse. D'une part, le toril, un climat de violence, une magistrale évocation de l'Espagne; de l'autre, une idylle entre l'aficionado de seize ans, Alban de Bricoule, et Soledad, fille d'un superbe vieil hidalgo. L'aficionado est sympathique, un peu fou de hauteur, se donnant un mal infini pour défendre nos couleurs, mais, par instants, d'une insupportable suffisance. Quant à Soledad, c'est une petite fille non moins orgueilleuse, non moins imbue de la caste, mais au demeurant très quelconque. Deux adolescents qui se poussent du col, pour avoir l'air de grandes personnes ! Un mélange d'inconsistance et d'audace, de rouerie et de naïveté. Alban est amoureux de Soledad. Soledad joue avec lui, comme avec la souris, le chat. Elle accordera ses lèvres moyennant rançon : Alban, aux prochaines courses, tuera un taureau qui a le mauvais œil. Il manque d'être tué et, lorsque Soledad s'apprête à tenir sa promesse, il lui tourne le dos. Il la sacrifie au taureau mort, au « dieu » dont le sang inonde le sable. Ainsi, dans *Le Songe*, Alban

[1] Cité par Faure-Biguet.

a-t-il sacrifié Dominique aux mânes des camarades morts.

Mais, dans *Les Bestiaires*, l'Antiquité se fait plus discrète et poind le côté pince-sans-rire de Montherlant, son humour moins né de « sa bonne humeur » que de brefs moments de détente.

En effet, il a beau s'ébrouer comme un jeune cheval, proclamer que les exercices dangereux libèrent l'esprit, que l'instant de perfection où l'homme et le taureau dansent le pas de la mort vaut bien que l'on risque sa vie. Faire des mots. Citer la chanson de Jérez sur les maris encornés. S'exalter devant le spectacle espagnol : « Comme un être de son sang bouge dans le ventre de la femme son sang, sa race, toute sa matière a bougé d'amour au fond de lui ». Il a beau, dans la plaine de Camargue, lâcher les faucons et les colombes de son lyrisme pour célébrer le vieux mage de Baroncelli-Javon, on perçoit confusément que, si la part sensuelle, charnelle de son être est rasassiée, son esprit ne l'est pas.

Dans l'ouvrage de Pierre Sipriot [1] un dessin de Juan Lafita nous montre l'auteur des *Bestiaires* en costume andalou, coiffé d'un chapeau de cuir cordouan, la pique sur l'épaule, à cheval parmi les taureaux d'Albacète. Il a le regard vide et las, « plein d'une surprenante tristesse » de celui qui torée pour tuer le temps. « Un Don Quichotte qui ne serait pas fou, disait quelqu'un, profondément, de ce cavalier désolé. »

[1] *Montherlant par lui-même.*

V

LA FLUTE D'IBLIS

— Tu donnais autrefois un chant de vie, et maintenant tu donnes un chant de mort.
— « Il y a un temps pour planter, et un temps pour déraciner ce qu'on a planté », dit l'Ecclésiaste.

Montherlant
(Aux Fontaines du Désir).

Dans *Hispano-Moresque*, Montherlant raconte cette histoire de la flûte d'Iblis. Jésus, passant dans une ville, entend le bruit d'une flûte. Il interroge. On lui répond que c'est Iblis qui pleure. Jésus s'approche. Il demande à Iblis la raison de ses larmes. Iblis dit qu'il pleure sur l'ingratitude des hommes et sur lui-même. Il a fait tout le mal possible et n'en a pas eu de plaisir. Mais quelquefois, il a fait le bien. Jésus s'émeut : « O Lucifer, toi qui fus si beau dans le ciel, fais une prière à mon père, qu'il te rappelle dans ces prairies de la grâce où tu resplendissais jadis ». Iblis refuse. Quand il fait le bien, il n'en a pas non plus de plaisir. Alors Jésus l'abandonne. Et Iblis s'en retourne vers les villes faire le mal et le bien avec une indifférence et une lassitude égales.

Pendant cinq années (1925-1930) Montherlant joue de cette flûte. Après avoir dispersé ses biens, il quitte la France, parcourt l'Espagne, l'Italie, l'Afrique du Nord. Que cherche-t-il ? Pourquoi ce départ semblable à une fuite ? Cette coupure ? « Une à une, j'ai vu disparaître mes raisons de m'agiter, submergées, chacune à son tour, par l'indifférence, cette marée montante. » Ce sur quoi il avait échafaudé sa vie s'est lentement, inexorablement, dérobé. La religion, privée de son support (la foi), a disparu. Les âmes l'ont déçu. La fraternité guerrière est rentrée dans le néant. Il ne désire plus la gloire. Il lui paraît vain d'élaborer une œuvre. Il enrage, et se lamente : « Avoir eu de l'ardeur, de l'énergie, de l'audace, et n'avoir pu les mettre à la disposition de quoi que ce soit d'humain. Et aujourd'hui, ce rassasiement, ce détachement, cet effacement, tous ces biens de l'ascétisme, en somme, ne pouvoir les offrir à quoi que ce soit par manque de foi en quoi que ce soit de divin. Appuyer son inutilité à celle du monde. Aller ainsi tant que cela durera en jouant son petit air ».

Sans tâche et sans foi, privé de Dieu et rejetant les hommes, cloîtré dans son nihilisme, il cherche une issue. *Aux Fontaines du Désir* rend compte de cette recherche. C'est le plus désespéré de ses livres, marqué par une stérilité dévorante, et, néanmoins, l'un des plus toniques. Ceci, parce que l'auteur ne se berce pas d'illusions, n'attend pas de miracles : il secoue les barreaux de sa cage et s'y déchire, mais n'essaie pas de nous en faire accroire. Un romantique ? Non. Un lucide. Les romantiques, du moins selon l'acception commune, se persuadaient de leurs malheurs à force de les « chanter »; ils finissaient par se prendre au jeu. Ici, un homme conscient de lui-même, souffre de n'être pas à l'échelle de son époque.

Il refuse d'adhérer à une doctrine quelconque, de s'agréger à un groupe quelconque, et partant de faire carrière. Le voudrait-il, il ne le pourrait pas. Il sait que sa position est en porte-à-faux. Mais il pense que les adversaires ont également raison : l'amant qui n'aime plus et l'amante qui s'obstine; le chasseur et le gibier; la loi et le hors-la-loi. Quand il choisit, il est convaincu qu'il se trompe et regrette déjà son choix. Il n'a donc qu'une ressource : « *Être à la fois, ou plutôt faire alterner en soi, la Bête et l'Ange, la vie corporelle et charnelle et la vie intellectuelle et morale* ». D'ailleurs, agir de la sorte, c'est, selon lui, imiter la nature qui ne présente que « détentes et contradictions ». Et de citer à l'appui de cette thèse la fable des chiens qui s'entre-dévorent : l'un tombe dans le fleuve et son ennemi s'empresse de le sauver; les pleurs d'Héliogabale sur la misère de son peuple; la magnanimité de César envers les Pompéiens et sa cruauté à l'égard de Vercingétorix.

Adhérant à tout avec la même indifférence et la même sympathie, passant d'une doctrine à une autre, d'une attitude à une autre (alternance), il aboutira au syncrétisme; et, par là, espère atteindre l'unité.

Dans ce but [1] (encore lointain), devenir « un immense amant » qui convoite tout ce qui existe, les vivants, les choses, et même les gloires défuntes des musées, « toute la diversité du monde et ses prétendus contraires »; acquérir cette grandeur insigne, « celle qui ne sera comptée nulle part en s'abandonnant à ses génies », comme le fit Pérégrinos [2].

[1] Voir le chapitre VIII.
[2] *Aux Fontaines du Désir.*

*
* *

Le voici voyageur. La légèreté de son bagage (ce qu'il nomme, non sans ingénuité, son dénuement) le réjouit, après les inutiles soucis domestiques qu'il a connus. Il se compare au calife Omar qui dormait parmi les mendiants sur les marches de son palais. Il s'enchante de la simplicité innocente des hommes voluptueux et tendres et des bêtes peuplant son « Ile de la Félicité » [1], de cette fête de la nature corroborant sa fête intime. Il est « un roi au bonheur toujours jeune » : « Je vais de fleur en fleur, faisant de tout mon suc, et quittant vivement le délice dont je suis gorgé pour passer à un autre ». Sur cet univers cythéréen brille « tout resplendissant des feux de sa justice, le néant, comme un grand diamant noir ». Tant pis si le corps, dont il a tiré plaisir et réconfort, doit un jour tomber en poussière. Son squelette aura joui !

A Fès, à Tunis, à Grenade, sur les rivages latins, partout il retrouve ou réinvente son « Ile ». Il rêve d'être, à l'image des monstres de la mythologie et des dieux de l'Inde, multiple et fabuleux, d'avoir dix bras pour mieux étreindre. Il exige des satisfactions immédiates, se défiant « des infernales chimies du temps » qui corrodent jusqu'au désir. Il affirme la primauté de la sensation brute sur le raisonnement : « Il y a jouir du monde — êtres, nature, art — par les sens, et il y a le comprendre. Je n'ai jamais passé de l'acte de jouir à l'acte de comprendre sans avoir la sensation nette que je passais de la sagesse à la folie. Car lorsque je jouis, je possède la réalité ». S'il a adopté cette double théorie de l'alternance et de l'adhésion souveraine, c'est afin d'alimenter son plaisir que menace la satiété. S'il écarte tout devoir social, tout lien d'affection, c'est afin de s'épargner tout problème. Il n'a d'autre morale que son immoralisme, d'autre besoin que celui d'être heureux.

[1] *La Petite Infante de Castille.*

Mais bientôt « dans cet enfoncement, dans ce recouvrement de tout, au-dessus de cette nappe morte », l'Ile des Plaisirs lui apparaît « affreuse de stérilité ». Car « tout ce qui est atteint est détruit »; « il y a le risque des choses exaucées »; « l'inquiétude naissait du manque et elle naît de l'assouvissement ». Alors il exhale son désenchantement : « Chaque fois que j'ai respiré la rose, il est tombé un pétale ». Il constate avec mélancolie que le bonheur est dans le seul désir, et non dans l'accomplissement du désir; et répète la parole de Sainte Thérèse : « Notre désir est sans remède ». En tous sens il a foré ses tunnels, mais n'a point découvert la vérité. En tous sens il a piétiné le sol de cette geôle qu'il est à lui-même : « *J'ai atteint les remparts flambants du monde... Je suis brisé de satiété — et j'implore : qui me comblera ?* »

*
* *

Dans son désarroi, il accroche cette idée : « Pour un créateur, inutile de réaliser. » Mais renoncer, c'est avouer son impuissance ! Pourtant il est possible de concilier le vivre et le non-vivre :

« *Tout était prêt pour la grande féerie; au prix de quelles combinaisons ! Le cadre, les êtres : un mot, et j'avais tout. Je ne dis pas le mot. La volupté que je goûtai dépassa mille fois celle que j'eusse goûtée en allant jusqu'au bout. Et la puissante satisfaction d'avoir refusé; pouvant, de n'avoir pas voulu ! Je crois que dans le pire désert cette fleur-là peut pousser encore. Il me semble, et je crois toujours, que l'instant où je décidai de m'abstenir était un des instants importants de ma vie, que vraiment j'avais fait un pas dans l'art de faire donner tout ce que l'on peut faire donner à la vie. Car j'avais marié le non-vivre qui est le grand pourvoyeur de l'âme, et, par les obstacles qu'il me fallut vaincre avant d'arriver jusqu'aux portes mêmes de la féerie, assez de vivre pour me mettre à l'écart des onanistes de la poésie.* » Ce thème du plaisir refusé est repris dans *La Petite Infante de Castille.*

Montherlant s'éprend de la petite danseuse espagnole. Il met tout en œuvre pour en faire sa proie. Puis il s'en va. Dans ses romans, ces voltes sont fréquentes. Mais la Dominique du *Songe* et la Soledad des *Bestiaires* étaient des sacrifiées. La petite Infante est une épargnée. A quoi eût-elle été sacrifiée ? Il n'existe plus guère de valeurs nobles dans l'esprit de Montherlant, hormis la noblesse du plaisir qui a peu d'exigences.

*
* *

Cette crise des « *Voyageurs Traqués* », commencée par une maladie, s'acheva de même. C'est à dessein que nous écrivons « s'acheva », et non « se dénoua ».

En 1930, Montherlant se croit condamné. S'il craint la souffrance, il regarde en face la vérité. Et, il observe ses réactions en face de cette vérité cruciale qu'est la mort : *Explicit Mystérium* [1] (Ici finit le Mystère, mot terminal des Mystères du Moyen-Age).

Réflexions sur la mort. On passe par trois états inéluctables : le hérissement, l'acceptation, l'indifférence; parfois il y a alternance de ces trois états. Ridicule de ceux qui, sur leur lit de mort, prononcent des paroles « historiques ». « Être un héros et un saint pour soi-même. » Il rappelle le congé de Louis XIV à ses courtisans, un peu avant d'entrer en agonie : « Adieu, Messieurs, je craindrais de vous attendrir ». Ne pas confondre les attendrissements de mauvais goût avec les pleurs que nous versons sur la mort d'un être aimé, et qui valent mieux que les promesses. Il réclame le respect de la personne humaine, de la dignité de part et d'autre, et du courage.

Réflexions sur la vie. Toute vie est le fait du hasard. « On vit dans une ignorance étoilée. » Ces étoiles sont les sensations, que la Raison raisonnante ne peut dénaturer puisqu'elles la précèdent. L'amour prime l'art,

[1] *Mors et Vita.*

l'intelligence, le travail. « Le Souverain Bien est d'aimer quelqu'un. » Partant, il est secondaire de n'être pas, ou d'être mal aimé. Le plaisir, injustement décrié, est une source d'exaltation, donc une force en soi.

En résumé, de ce monde sans loi et sans Dieu, dont la vertu unique est la dureté, il ne regrettera rien. Mais, tel qu'il est, il l'accepte. S'il peut s'en détacher aisément, c'est qu'il en est rassasié. D'où sa tranquillité devant la mort.

L'à quoi bon qui le torturait, le pacifie.

VI

LE CHEVALIER A LA MORT

Une admirable gravure de Dürer représente un chevalier en armes, s'avançant, impavide, entre le diable et la mort. Il chevauche au fond d'une gorge. La falaise qui se dresse derrière lui est comme tailladée à coups de sabre, ou fendue par un séisme. Des arbres élèvent leurs branches dénudées. Le sol est piqué d'une herbe rare, jonchée d'ossements. Un atroce vieillard à face édentée, couronné, comme Méduse, de vipères sifflantes, figure la mort; il brandit un sablier et profère ses plaintes sournoises. Le diable allonge sa griffe vers les reins de l'homme de fer; il a un regard lubrique et redoutable; il tient dans sa patte gauche une hallebarde à plusieurs tranchants. On aperçoit, par une déchirure, au sommet des rochers, quelque lointaine cité du soleil. Le chevalier poursuit sa marche, dédaignant les deux monstres, préservé par on ne sait quel songe intérieur, tout à la fois absent et présent,

Ainsi, de Montherlant pacifié, indifférent désormais aux ruses d'Iblis et aux lamentations hypocrites de la mort, délivré de sa crise de pessimisme parce qu'il l'a intégrée. Plus fort d'avoir expulsé la grande vie des sens en l'accomplissant, il est mûr « pour une vie spirituelle ». Et le premier acte de cette vie (non pas nouvelle, mais meilleure) sera l'édification de son œuvre. Exempt d'angoisses intérieures, il affirmera sa maîtrise dans les genres les plus divers, mettant en médailles les visages fugitifs qui composent son univers. « Les yeux fixés sur son objet, ne voyant que lui, il avance, insensible à tout, mystérieusement immunisé comme le sont les gens ivres [1]. » Comme le sont aussi le chevalier de Dürer et le Maître de Santiago...

*
* *

Il a mis au point sa règle de vie : « *Vivant en moyenne trois mois par an à Paris (d'ordinaire l'été, afin d'y être débarrassé des fâcheux), et le reste du temps en Afrique du Nord. Là-bas, tantôt dans le désert de sable, tantôt dans le désert des grandes villes, me saoulant de l'espèce de haine que j'ai pour tout ce qui est distractions; toujours sous des noms supposés, me tenant ferme à la discipline de ne « voir » personne, restant des trois semaines de suite sans avoir une fois quoi que ce fût à faire à heure fixe, ne recevant même pas mon courrier chez moi, pour n'entendre pas sonner à ma porte, sans autres soins que le travail, la lecture et la réflexion, tempérés par la respiration de la vie, et la possession des êtres, dans un lieu du monde où la nature et la créature me sont agréables : vie naturelle, vie innocente, souvent partagée avec les seules bêtes, prenant toujours tout mon temps, et étant fréquemment de loisir; ne faisant jamais et n'écrivant jamais, que ce qui me plaisait; et ne comptant avec personne* [2] ».

[1] *Textes sous une Occupation : La Déesse Cypris.*
[2] Avant-Propos de *Service Inutile.*

Période de plénitude qui se prolongera jusqu'à la déclaration de la guerre (1939) et au cours de laquelle il écrira *La Rose de Sable*, les quatre tomes des *Jeunes Filles*, *Les Célibataires*, et les livres civiques. Protéen et ulysséen, il fera alterner le flamenco de son âme et le bavardage des créatures, l'invention et la confession.

L'AMOUR

Dans l'avertissement qui précède *L'Histoire d'Amour de la Rose de Sable*, il indique que cette « histoire » n'est qu'un fragment du manuscrit de *La Rose de Sable* (« *Mon premier roman-roman; je veux dire : le premier où, sortant des constructions uniquement lyriques du* Songe *et des* Bestiaires, *j'essaie de créer des personnages qui soient autre chose que moi* »). Ce fragment n'a que 250 pages, alors que le manuscrit intégral en a 587. On se demande s'il n'était pas imprudent de le livrer au public. En 1932, Montherlant n'avait pas voulu publier *La Rose de Sable*, parce qu'il craignait de nuire à notre politique coloniale. Son livre était résolument pro-indigène. Depuis 1932, la question a changé d'aspect. Quoi qu'il en soit, *La Rose de Sable* est, pour l'heure, réduite à son intrigue amoureuse. Elle marque une date et un tournant dans l'évolution psychologique et littéraire de Montherlant. Michel Mohrt [1] a fait observer que les personnages centraux, le lieutenant Auligny et le peintre Guiscart, sont les esquisses de Coantré et de Costals. Plus certainement encore, on peut dire que ce roman est l'amorce de la vaste fresque des *Jeunes Filles.*

Auligny et Guiscart incarnent deux sortes d'amants. Guiscart court le guilledou dans tous les ports de la Méditerranée; pour lui les femmes sont bêtes de chasse et il tient une liste de ses conquêtes; c'est don Juan dans la première partie de sa légende. L'amour est

[1] Michel Mohrt : *Montherlant, homme libre.*

pour lui une fonction ou une drogue. Au contraire d'Auligny, excellent jeune homme, officier d'imagerie, petit-fils de général, et fils de quelque bellone de province, hésitant entre la vocation qui lui fut imposée et sa propension à la paresse, toujours à la lisière du bien et du mal, comme le sera Léon de Coantré. Auligny, désœuvré, fait l'amour avec une petite Arabe, puis s'éprend d'elle au point de prétendre être aimé. Guiscart se satisfait d'un sexe; son art lui fournit la part de spiritualité qui lui est nécessaire. L'ondoyant Auligny s'égare dans la tendresse; il est prêt à trahir, parce que, à travers Ram, il s'est enthousiasmé pour l'Islam [1]. Phénomène classique de cristallisation. Auligny, peu encouragé par cette Ram, menteuse et apparemment froide, s'allume de jour en jour, se monte la tête. Rôle de l'imagination en amour, que Jean-Jacques Rousseau exprima de la sorte : « Les sensations ne sont que ce que le cœur les fait être ». Et le cœur, si l'on peut se permettre cette boutade, est le cerveau des intelligents.

*
* *

> « *Les gens voient de la profondeur dans* La Reine morte, *et souvent étudient cette pièce avec sérieux, subtilité, intelligence. Il y a autant de profondeur dans la série des* Jeunes Filles, *mais personne (en France) ne l'y a vue. Parce que ces romans agaçaient.* »
>
> MONTHERLANT.

Le cycle des *Jeunes Filles* a pour motif central l'histoire d'amour de l'écrivain Costals et de Solange Dan-

[1] Il est probable que, dans la détermination d'Auligny, d'autres raisons intervenaient que nous révèlerait *La Rose de Sable*.

dillot. Dans les deux premiers tomes : *Les Jeunes Filles* et *Pitié pour les Femmes*, Costals a l'avantage; il tient les rênes; il bombe le torse, sans réaliser que « la sage » petite fille l'englue doucement. Dans *Le Démon du Bien*, il cède, non par faiblesse, mais par pitié. Dans *Les Lépreuses*, Solange perd tout à fait la partie; Costals reprend sa liberté et ses chères habitudes.

Trois autres aventures s'enchevêtrent et s'entrecroisent. Costals est bombardé de missives par une intellectuelle, Andrée Hacquebaut, et par une mystique, Thérèse Pantevin. Et, pour ~~pour~~ fuir Solange, il rejoindra en Afrique Rhadidja, la petite donneuse de plaisir.

On peut donc discerner dans cette œuvre quatre formes d'amour que l'auteur condamne également.

Il condamne l'amour « mystique », car le mysticisme corrompt le désir, et, au contact de celui-ci, se corrompt lui-même. Il écrit à Thérèse : « *Vous déshonorez Dieu en le mêlant à moi. Ce margouillis soulève le cœur. Quand je vois Jésus-Christ et la créature (mêlés, non juxtaposés; car, juxtaposés, cela arrive en chacun de nous) je pense toujours à cet écolier dont parle la princesse Palatine, qui s'était fait peindre des figures de saints sur les fesses, pour n'être plus fouetté* ».

Il condamne l'amour stendhalien que lui voue Andrée Hacquebaut. Il a cependant beaucoup d'estime pour Andrée, voire un peu de sympathie, voire un grain d'admiration. C'est une fille méritante sortie de rien, plus qu'intelligente, animée parfois d'une espèce de génie qui la soulève au-dessus du commun. Mais lecture n'est pas vie, culture n'est pas sagesse ! Andrée souffre de la solitude qu'elle s'est imposée et, naturellement, s'évade par la rêverie. Ainsi invente-t-elle un type d'homme exemplaire, ou plutôt de surhomme, auquel elle prête le visage de Costals : « *J'avais rêvé qu'un homme me dominât, m'emportât dans une tempête. J'avais choisi un conquistador, un prince solaire, un homme dix fois plus mâle, plus intelligent, plus maître de lui, plus prestigieux que les autres... A lui, je voulais donner mon esprit, ma jeu-*

nesse, mon corps vierge, ma bouche qui jamais ne reçut de baiser. A lui j'aurais été heureuse d'obéir. A lui j'étais prête à immoler n'importe quoi ». Cristallisation et hystérie. Costals ne s'y trompe pas. Il s'effraie de cet amour envahissant, dont il sent bien qu'à la première occasion il se changera en haine. Il décourage Andrée, assez gentiment, peut-être incapable de méchanceté, ou plutôt, flatté d'être son idole.

De même condamne-t-il l'amour du couple. Pour Montherlant-Costals, le couple, c'est « Nénette et Rintintin ». Ridicule, le couple des parents Dandillot qui, ayant passé leur existence ensemble, demeurent étrangers l'un à l'autre : « Si je n'ai guère parlé à table, avoue M. Dandillot, c'est qu'il y a trente et un ans que je prends mes repas avec Mme Dandillot : nous nous sommes dit ce que nous avions à nous dire ». Ridicule, le couple des « fiancés », traînant leur ennui toute une soirée, de cinéma en cinéma, et finissant par rire de s'ennuyer si fort. Ridicules, cette coutume des fiançailles où transparaît l'hypocrisie sociale, et cette comédie du mariage où l'on serre des mains comme à l'issue des funérailles. Tout cela, c'est « l'Hamour », caricature du véritable amour, ou mieux de la notion shakespearienne qu'en a Montherlant. Costals dit à Solange : « *Je veux que vous soyez moi, et rien d'autre. Pour que je n'aie jamais à me défier de vous. Pour que je ne sois jamais las de vous* ». Solange est remplie de soumission, et même de complaisance. Mais est-elle devenue « lui » ? Il ne distingue pas dans son comportement la part de naïveté et la part de manœuvre, ce qui est spontané et ce qui est inspiré par Mme Dandillot, la mère. Il est impossible de connaître les êtres : ce que l'on caresse avidement n'est qu'un masque.

Excédé de Solange et de lui-même (dont les forces créatrices s'épuisent en tergiversations), il se réfugie dans les bras de la petite prostituée arabe, Rhadidja, qui lui donne la volupté parfaite. Découvrant qu'elle est lépreuse, il la prendra quand même par point d'honneur et par tendresse. Mais, quand il craindra d'avoir contracté la lèpre, il s'écartera d'elle, définitivement. Cette « lèpre » est évidemment un symbole.

*
* *

Systématiquement, Montherlant rend la femme responsable des « cinq plaies du corps social ». A savoir :

— L'irréalisme : la femme, par nature, est incapable de supporter la réalité; elle cherche donc des adjuvants : « amour, religion, superstition, mythomanie, convenances, idéalisme »; d'instinct, elle adhère à toute falsification de la vérité, et, exerçant une influence certaine sur l'homme, le contamine.

— Le dolorisme : souffrante, par destination, en raison de son infirmité physique, elle s'acharne à détruire l'équilibre masculin qu'elle jalouse. « Dans l'Occident, dominé par les femmes, culte de la souffrance. Dans l'Orient, où l'homme est le maître, culte de la sagesse ».

— Le vouloir-plaire : la femme tente de plaire par n'importe quel moyen, dans n'importe quelle circonstance. Elle a fini par communiquer à l'homme, en le lui inculquant dès son enfance, ce désir niais d'approbation qui est l'arme des faibles.

— Le grégarisme : elle se prétend différente des autres; elle impose cette prétention « aux tireurs de langue », alors qu'elle est semblable aux autres, que le seul fait de se « vouloir » différent prouve que l'on est irrémédiablement agrégé au troupeau.

— Enfin, le sentimentalisme, reproche majeur. Le sentimentalisme qui singe l'amour et ridiculise le partenaire masculin en l'asservissant : l'opéra de quat'sous, les attitudes qu'il est bon ton de prendre en présence de l'objet aimé, les diminutifs que l'on se donne, séquelles de l'idéologie « chevaleresque ». Mais il y eut deux chevaleries; la vraie, où la femme ne jouait pas le moindre rôle, et la « courtoise » dont elle était le pivot.

Alors que faire ? : « *Prendre la lépreuse dans ses bras, et jouir d'elle, et la faire jouir aussi, pourquoi pas ? pauvre chatte, — mais n'avoir pas attrapé la lèpre* ».

*
* *

Réquisitoire n'est pas verdict.

Mlle Nicole Debrie [1] a distingué dans l'œuvre de Montherlant trois types de femmes, témoins successifs de sa maturation spirituelle. Premier type : la Dominique du *Songe*, la fille « virile » qui est impuissante à assumer son rôle et dont l'effort aboutit à un lamentable échec. Second : *Les Jeunes Filles*, trop enfants et comme enfermées dans leur enfance, ou bien se vidant de leur substance pour plaire à l'élément masculin et, par là, lui déplaisant; femmes inachevées, prétentieuses, insupportables et stériles. Troisième : celui du théâtre; la femme se transcende par le don total; elle tire de son cœur des facultés de création comparables, sinon égales, aux pouvoirs créateurs de l'homme; elle donne la vie et, la donnant régénère son être.

Cette vocation de l'amour, dona Inès l'exprime, sur le mode sublime, dans *La Reine Morte* : « Il (l'enfant à naître) est une révision, ou plutôt une seconde création de moi; je le fais ensemble et je me refais. Je le porte. Je me fonds en lui. Je coule en lui mon bien. Je souhaite avec passion qu'il me ressemble dans ce que j'ai de mieux... Il est le rêve de mon sang ».

La femme donneuse de vie, non la créature mais la créatrice, voilà ce qu'il respecte. Et ce qu'il requiert de l'amour, c'est la dignité. La dignité est apaisante, et toutefois n'exclut-elle pas le pathétique.

[1] Dans sa thèse : *Le Pôle Féminin dans l'Œuvre de Montherlant.*

HUMOUR ET SATIRE

Le cycle des *Jeunes Filles* a connu la faveur du public. Certes, il est peu satisfaisant pour l'esprit, et même un peu vulgaire, de juger une œuvre sur le succès qu'elle a remporté. Un livre accapare les suffrages de la foule lorsqu'il traduit les aspirations ou les nostalgies de cette foule à un moment donné, mais aussi, plus durablement, lorsqu'il flatte les vices et les travers d'une époque. Sans doute l'érotisme fait-il recette, surtout quand il est assorti d'un style remarquable, quand il allie le lyrisme et la précision, autrement dit quand il satisfait tous « les besoins du génie moderne ». Dans *Les Jeunes Filles* l'érotisme est abondant et de qualité. Mais je crois que cette œuvre, au fond si grave, a plu parce que, très française d'allure, elle dissimule (et ce fut de la part de son auteur certainement involontaire) sa gravité sous les apparences les plus lestes; parce que les mouvements de colère, les instants de dégoût s'y travestissent en « bonne humeur »; parce que son pessimisme foncier y prend un visage léger. « Le Grand Méchant Loup » qui se déguise en « Petit Cochon ».

S'il est une œuvre de Montherlant où s'étale le bonheur de vivre en liberté, c'est celle-ci. Œuvre dangereuse ? Pour les faibles cervelles, pour tous les Auligny de la création qu'un souffle, un air de musique ou un feuillet de livre pousse vers l'Ange ou vers la Bête. Une tête bien construite ne redoute pas les crudités.

L'humour de Montherlant pourrait être défini à partir de cette phrase de Cervantès : « Les petits garçons s'en vont tristement quand le pendu qu'ils attendaient ne vient pas, parce qu'il a reçu sa grâce ». Cet humour griffe un peu mais ouvre des horizons imprévus.

Ainsi des *Jeunes Filles* où les gags succèdent aux gags, entremêlés de réflexions acidulées, voire de critiques acerbes : nous démonterons plus loin ce mécanisme. Toute la partie « parents Dandillot » est hautement comique. Comique, ce décor où se juxtaposent les objets de prix et les articles de bazar (avec prédominance de ceux-ci). Comique, la confession de Dandillot qui, aux portes de la mort et fustigeant la comédie sociale, se joue à lui-même, piètrement, la comédie. Comiques, le marivaudage attardé, la conversation, les travaux d'approche, la fausse bienveillance, le faux modernisme de Mme Dandillot. Et non moins comique, la conduite de Costals qui, croyant berner Mme Dandillot, donne dans le piège « hippogriffal » (le mariage); quand elle n'est pas franchement burlesque : la dégringolade dans l'escalier, après le thé de la future belle-maman, est un instantané de Charlot. Pareillement l'auteur s'est-il diverti à portraiturer le genre idéal [1] : « *C'était le Gendre avec un grand G, le Gendre-type. Muet comme une carpe. Ne faisant que sourire à ce que disait son beau-père — sa belle-mère — sa femme — et le muchacho — et la petite. Et des rides lui étaient venues, déjà fortement incrustées, malgré son jeune âge : les rides de l'approbation éternelle. Même, quelquefois, il se tournait vers Costals, sans doute afin que Costals approuvât lui aussi le beau-père — ou la belle-mère, etc... Jamais personne ne lui adressait la parole, ni seulement ne posait les yeux sur lui : c'était vraiment le Gendre idéal. Quand le Gendre ouvrait la bouche, plutôt que de le regarder, on baissait les yeux, si même on n'adressait pas la parole à une autre personne. Il n'y avait que le muchacho qui lui témoignât un peu de gentillesse : quand le Gendre lui parlait, le brave enfant répondait par quelques mots. Le supplice d'un Gendre. Mais aussi, pourquoi était-il Gendre ? Et il y avait eu un jour où il était triomphant, dans un frac coupe maître d'hôtel, avec des demoiselles d'honneur en couleurs de berlingot. Et Socrate, Gœthe, Hugo avaient été des gendres. Costals doutait de l'humanité* ». Même ironie quand il compare Mme Dandillot à « un cheval de gendarme », et le couple d'amants aux enfants sages qu'on envoie jouer dans le parc et qui se promènent en se tenant par le petit doigt; quand il décrit le hall du « Colombier »

[1] *Le Démon du Bien* : dîner des colons oraniens.

hérissé d'inscriptions bizarres : « On ne rend pas les lettres », etc... ; et quand il répond à Andrée Hacquebaut : « Allons, ma chère, vous êtes en plein dans la réaction 227 bis ».

Mais cette petite brise est chargée d'électricité. Tout de suite elle tourne en vent, et celui-ci en orage. L'humoriste se métamorphose en satiriste qui engendre à son tour le moraliste. Se pourlèche-t-il à railler le manque de goût esthétique des Dandillot, brusquement cette remarque lui vient : « *Que Solange n'eût pas forcé les siens à avoir un foyer décent, qu'elle supportât ce décor obscène, cela lui parut une lourde charge contre elle : impossible qu'il n'y eût pas en elle quelque chose de mauvaise qualité, qui se trouvât à l'aise dans cette mauvaise qualité de tout ce qui l'entourait* ». Puis, de plus en plus sombre, et prenant de l'aigreur : « *Il regardait ces gens* (*les Dandillot*), *et il les méprisait de garder si mal leur fille : soit vanité, soit immoralité, soit manège, soit inconscience, ils l'ont laissé sortir avec un homme comme moi !* »

Chez lui, le rire annonce le coup de dents.

*
* *

Même processus dans *Les Célibataires*. Mais, ici, la raillerie se change en pitié.

Ce livre valut à son auteur le Grand Prix de Littérature de l'Académie Française. Il passe pour être le meilleur de ses romans. Il fut en tout cas le plus mal compris. On a cru qu'il était une satire contre la noblesse. Sans doute Montherlant se montre-t-il cruel quand il décrit les « deux magots » : Léon de Coantré et Élie de Cœtquidan, tous deux coupés de la vie, hors du réel, l'un s'adonnant à d'insanes besognes, et l'autre à la paresse. Il s'est expliqué dans *Service Inutile* [1] : « Que mes héros appartiennent à la noblesse, cela peut donner un accent particulier à leurs misères et à leurs

[1] *Sur la Noblesse en France.*

manies. Mais le fond de ces manies et de ces misères leur est commun avec la bourgeoisie, et même avec le peuple. Dans *La Rose de Sable*, un intérieur de la « bonne bourgeoisie » est vu avec la même loupe au travers de laquelle j'ai regardé les vieux nobles du boulevard Arago : le vibrionnage des bacilles humains n'est guère différent de l'une à l'autre des cellules sociales ».

Au reste, pour ces êtres déchus, et malheureux, il éprouve plus de pitié que de colère. Et les derniers jours de Léon dans la forêt mouillée par l'hiver, sa fin solitaire et misérable lui inspirent d'admirables pages de tendresse, de désespoir mal contenu :

« *Papon rapporta la petite malle de M. de Coantré : c'était tout ce qui restait de la maison de Coantré, comme la malle que le flot rejette sur la grève, seule épave du bâtiment perdu.* »

Ce qu'il tourne en dérision, il s'aperçoit qu'il n'a pas arrêté de lui vouloir du bien. S'attendrissant, il incline à moraliser. De la moralisation au civisme, il n'y a qu'un pas.

CIVISME

Montherlant a écrit quatre livres civiques : *Service Inutile* (qui intéresse la période 1930-1935), *L'Équinoxe de Septembre* (la période « munichoise », 1938), *Le Solstice de Juin* (1939-1941) et *Textes sous une Occupation* (1941-1944, mais dont certaines parties ne se rattachent pas à l'actualité). Les trois derniers furent particulièrement contestés : ils sont trop engagés dans l'évènement. Il semble, au moins en ce qui concerne *L'Équinoxe de Septembre*, qu'il regrette d'être sorti de son rôle de poète pour entrer dans celui de commentateur. « *De quelque côté que je retourne ce personnage qu'on appelle un écrivain, je le vois aussi dégagé de l'actuel, écrit-il dans* Le Solstice de Juin, *que le sont le peintre, le sculpteur et le musicien. Mais à lui seul cette liberté est refusée... L'écri-*

vain doit répondre aux enquêtes les plus oiseuses, rédiger des messages, pontifier au hasard, guider ses semblables dans des directions mûrement choisies en cinq minutes. Il lui est défendu de se concentrer dans la ligne qui lui est destinée; il doit sans cesse s'en divertir pour battre la campagne ». Il n'ambitionnait ni d'exercer une influence, ni d'assumer quelque charge officielle, ni même de se poser en guide. Il refusa en 1941 de faire chaque semaine le laïus que lui demandait Radio-Jeunesse.

Quand il reproche aux Français de ne s'être pas préparés à la guerre, il reconnaît que, lui non plus, ne s'y est pas préparé, qu'il a passé son temps dans les délices. Et, quand il se laisse emporter par la colère, ne voit-on pas que, sous le vitriol des mots, le mépris de certains titres, de certaines images (les a-t-on assez ressassés !), se dissimule une profonde douleur; qu'en dépit de ses dédains, il reste solidaire ?

De ces quatre livres, *Service Inutile* est le plus important, parce qu'il est le plus haut (mis à part quelques essais de *Textes sous une Occupation*). Et s'il est le plus haut c'est que, moins soumis à l'évènement, il reflète une plus grande sérénité, et partant il est aussi plus ferme. Dans ce livre, nous séparerons l'élément négatif (critique des mœurs françaises contemporaines) de l'élément positif (La *Lettre d'un Père à son Fils*, morale constructive).

D'abord, il jette l'alarme. Depuis vingt ans, il n'a pas cessé de dire que l'armistice entre la France et l'Allemagne n'était qu'une suspension d'armes. L'imprévoyance française, cet aveuglement collectif, lui paraît monstrueuse. Le gouvernement s'illusionne. L'élite s'illusionne. Le peuple s'illusionne. De même, un peu plus tard, protestera-t-il avec force contre la capitulation de Munich; jugera-t-il inqualifiable la politique de la France à l'égard de ses alliés : « Quand la Belgique est envahie, quand la Tchécoslovaquie est dépecée, chapeau bas. Mais une nation qui a de l'or, un sol gonflé de ressources, une grande histoire, une immense réserve de richesses matérielles et morales, un empire colonial, qui claironne à l'occasion qu'elle est « une nation de cent dix millions d'habitants », qui a dépensé trois cents milliards en vingt ans pour ses canons, qui est appuyée sur deux des plus puissantes nations du monde, une telle nation, lorsqu'elle est faible n'est pas innocente de l'être. Une nation d'intelligents, et qui réagit avec sottise, une nation de riches, et qui réagit avec pauvreté, une nation de gens fins, et qui est toujours dupe, une nation pleine de valeurs, et où les incapables font la loi, décourage et endurcit à son égard ses meilleurs amis [1] ».

Mais le gouvernement n'est pas le seul responsable; il est l'émanation du peuple. De cette complicité dans la faiblesse il voit l'origine dans la dégénérescence de l'esprit français (esprit qui ne resurgit qu'en temps de guerre : « *Elle (la France) est comme ces fleurs qui embaument quand un lien les pressure en bouquet, et qui perdent leur parfum quand le lien se relâche* ».

En temps de paix, ces instincts de droiture et de courage, cette fierté naturelle, tout conspire à les rabaisser. Avilissement par les spectacles, la presse, la littérature. Montherlant oppose (*Pour le Chant Profond*) à l'ineptie prétentieuse de nos « orphéons » la fraîcheur, la simplicité des flamencos sévillans. En France, tout est sophistiqué; on tourne en dérision tout ce qui est naïf et naturel; on préfère à la femme-vraie la femme-mensonge dont la grâce est ensevelie sous les fards et l'âme, sous les lieux-communs. On applaudit Zola qui trace du peuple un portrait revu et mutilé par la littérature : le mineur devient un ivrogne; le paysan dévore des herbes et ne peut être que sordide. Montherlant écrit : « Un groupe littéraire règne en France depuis vingt ans, qui, pour des raisons faciles à deviner, a fait un dogme de la pauvreté du tempérament. Pas d'abondance, pas d'émotion, pas de chant, pas de « féminin », pas de couleur, pas d'images, pas « d'anecdote »; tout cela est pour le commun. Ce groupe, si peu qu'on y

[1] *L'Équinoxe de Septembre.*

aime la France, est bon gré mal gré de chez nous ». Il se demande si cette fausseté ambiante est l'expression spontanée du peuple, ou s'il est corrompu par elle. De toute façon, il n'est qu'un remède : « interdire l'ignominie ». Interdire la diffusion de chansons telle que « J'ai ma combine ». Empêcher que l'on baptise un restaurant « Le Verdun », et une formation musicale « Le Jazz de la Légion ». Détruire ces germes de pourriture, isolément infimes mais pullulants, comme, à Colomb-Béchar, il eût voulu étrangler la chienne de l'hôtel dont la bassesse et la servilité recueillaient leur récompense, sans parler du sourire indulgent des dîneurs.

A ces déficiences de la « qualité » il oppose la dignité et la pudeur du petit bourgeois qui meurt au milieu des badauds, en balbutiant : « J'ai honte... j'ai honte... », honte de mourir en public, de déranger, de déchoir. « Le sens perdu » qui fait se suicider un directeur d'école convaincu de larcin [1] et le sous-lieutenant russe Dimitriof, plongeur dans un restaurant, qui en se tuant veut racheter le crime politique perpétré par son congénère Gorguloff. L'amour du travail bien fait, et cela dans tous les domaines et dans tous les milieux (de l'écrivain à l'ouvrier). La pérennité d'une certaine vertu civique antérieure aux morales officielles, et qui leur survivra.

« *...Lorsqu'on voit présentement un enfant bien élevé, un jeune homme respectueux et modeste, une jeune fille simple et bonne, une femme qui ne déchire pas celui qu'elle a aimé, un homme d'affaires qui fait honneur à sa signature, un homme du monde qui ne cherche pas à faire un mariage d'argent, un puissant qui n'abuse pas de sa puissance, et un petit qui n'abuse pas de sa médiocrité, on est saisi d'une sorte de transport que jamais on n'aurait ressenti dans une société plus saine; on est prêt à concevoir qu'il n'y a d'autre civilisation que celle de la morale.* »

[1] Dans son dernier roman (posthume), *La Tête Haute*, René Laporte a repris ce thème. Un professeur donne un sujet de bachot à un candidat qui lui rappelle son fils mort. Quand il est découvert, il se suicide, alors qu'en raison de son passé politique, il était assuré de l'impunité.

Dans la *Lettre d'un Père à son Fils*, désormais classique, il énonce et en quelque sorte codifie les principes susceptibles de pallier la carence sociale. Acquérir :

— Le courage moral, combien plus rare que le courage physique.

— Le civisme qui est le patriotisme réel, car celui qui, en temps de paix, dessert son pays par faiblesse, insignifiance ou cupidité, il importe peu qu'en temps de guerre sa conduite soit héroïque : il défend son bien-être, autant et plus que son pays.

— La fierté, sentiment modeste, à mi-chemin de l'orgueil (qui, non fondé, est ridicule; et, fondé, paraît superflu) et de la vanité (sceau de l'arrivisme).

— La droiture, car c'est perdre son temps que de composer.

— le désintéressement, car celui qui « resquille », ou fait de l'argent un but et un moyen, ne peut être foncièrement honnête.

— Le mépris : il ne s'agit pas de mépriser le peuple, ou les êtres en tant que tels, mais ce qu'il y a en eux de méprisable. Et qui s'en dispense pactise avec le mal.

— La politesse, à savoir : « Gentillesse avec les petits, complaisance avec les moyens, qui-vive avec les grands ». Ne pas « se gêner » (phrase si souvent entendue, et crispante au-delà de tout ce que l'on peut imaginer !) c'est se complaire dans la médiocrité.

Ce qu'il faut donc, c'est être à la fois « fou de hauteur » et rechercher « la qualité ». Pratiquer une morale « du bonheur » et rester discret sur sa vie privée. Être pour soi-même « le héros et le saint » d'*Explicit Mysterium*.

*
* *

Au cimetière de Montherlant, sur la tombe de « l'aïeul inconnu », l'écrivain médite. La pierre est nue, « *sans un ornement, sans une inscription, sans un nom, sans le vestige de l'un ou de l'autre. Seulement, au milieu, les armes sculptées en pleine matière, creusées, bossuées, avec une vigueur étonnante... Un peu de vide sans identité, avec des armes à l'emplacement du cœur* ». Ce « pataras » lui rappelle les blasons de Castille dont la richesse éclate dans le désert des murailles. Il symbolise le courage « par quoi l'on entreprend, et la pierre nue — l'intelligence — pour mépriser ce qu'on entreprend. L'idéalisme, qui dit « service » et le réalisme, qui sait que ce service est inutile ».

Service inutile ? Devant ce tombeau, Montherlant évoque le « j'aurai le même sort que l'insensé » de la Bible. Alors, à quoi bon se créer des contraintes, réaliser cette perfection intérieure ? Pensée démoralisante, certes; mais : « *J'entendis une voix qui me murmurait à l'oreille les vers de Sigismond, dans La Vie est un Songe :*

...Oui, je rêve et je veux.

Faire le bien, car le bien-faire ne se perd pas, même en rêve.

Qu'est-ce à dire ? Voici ce qu'il me plaît de comprendre : la vie est un songe, mais le bien-faire ne s'y perd pas, quelle que soit son inutilité — inutile pour le corps social, inutile pour sauver notre âme — parce que, ce bien, c'est à nous que nous l'avons fait. »

VII

LE CHANT DE LA COLOMBE ARDENTE

> « *Alvaro : Avant la prise de Grenade, il y avait à la Frontera, au sommet d'un pic, un château-fort où les jeunes chevaliers accomplissaient leur noviciat. C'est là que pour la dernière fois j'ai entendu le chant de l'oiseau.*
> *Letamendi : Quel oiseau ?*
> *Alvaro : Le chant de la Colombe ardente, qui nous inspire ce qu'il faut dire ou faire pour ne pas démériter.* »
>
> MONTHERLANT
> (*Le Maître de Santiago*)

Dans les flammes de la guerre, Montherlant approche la vérité de plus près; il s'impose un style particulier, un dépouillement quasi total, une psychologie plus aiguë.

Ce style, ce dépouillement, cette acuité ne sont possibles (ou plutôt admises) qu'au théâtre. A la scène, pas de développements inutiles, pas de descriptions, pour surcharger et fragmenter l'action; une psychologie réduite à elle-même, puisque, apparemment, l'auteur n'intervient pas; un rythme qui n'est pas celui de la vie ordinaire, mais le halètement des périodes de crise; un style qui n'est jamais réellement celui de la conversation : les monologues des personnages, les dialogues d'âmes, etc...

Le théâtre permet aussi cet arbitraire qui, simplifiant les faits et modifiant leur déroulement, accroît l'élément dramatique.

C'est pourquoi — nous semble-t-il — ce moyen d'expression s'est imposé à l'auteur pendant les deux guerres. 1914-1918 : il écrit *L'Exil* et *La Relève du Matin* dont l'allure, le rythme, les scènes, la langue, s'apparentent au théâtre. 1941 : il revient à la scène et si, depuis 1945, jusqu'à *Brocéliande* (1956), il a persisté dans le genre, c'est peut-être que l'état de guerre n'a pas encore réellement pris fin.

Au surplus le théâtre n'est-il pas son vrai moyen d'expression, le mieux adapté à son tempérament ? Dans la lettre-préface de *La Reine Morte*, il remercie Jean-Louis Vaudoyer de lui avoir procuré « un motif nouveau d'ébrouement ». Cet « ébrouement » ressemble fort à un aveu. Il écrit dans ses *Notes sur mon Théâtre* : « Ils appellent « éloquence », « rhétorique », ce qui sort de moi comme du feu. Est-ce ma faute si l'expression, chez moi, colle sur le jet de la passion ? ». Et encore : « Dans mon théâtre, j'ai crié les hauts secrets qu'il ne faut dire qu'à voix basse ! ». Pourquoi « à voix basse » ? Encore une fois, parce que le public appelle « emphase » ce qui le dépasse, et « style noble » ce qui est bien écrit. A la scène, la violence mêlée de suavité, la brûlure des passions mêlée de fraîcheur d'âme ne provoquent pas de ricanements; il est permis de « se livrer pour un temps, aux lames de fond grondantes et simples qu'il y a aussi dans un homme à condition qu'il en soit un ».

Le théâtre sera donc pour lui « un prétexte à l'exploration de l'homme ». Il ne s'agira pas de construire une intrigue, « mais d'exprimer avec le maximum de vérité, d'intensité et de profondeur un certain nombre de mouvements de l'âme humaine ». A la façon des Anciens, il exposera des conflits qui seront ceux des membres d'une même famille (d'esprit ou de sang), et des individus qui cohabitent dans le même être. Pareillement, les sentiments qu'il peindra seront parmi les plus simples : l'amour, la peur, le désir, la joie, la douleur.

Épaisseur charnelle, animalité de ces créatures dont on entend bruire l'âme et battre le pouls ! Une vie plus haute, mais cependant la vie ! Un air plus pur. Ici, Montherlant atteint à ses sommets.

« EN POURPOINT »

> « *Ah ! s'il était en pourpoint ! Le pourpoint sauve tout !* »
>
> MONTHERLANT.

Et Chateaubriand fait écho : « Conduisez le peuple au théâtre : ce ne sont pas des hommes sous le chaume et des représentations de sa propre indigence qu'il lui faut; il vous demande des grands sur la pourpre; son oreille veut être remplie de noms éclatants, et son œil occupé de malheurs de rois [1]. » Même à notre siècle, qui ne cherche rien tant qu'à tout niveler par la base, au lieu d'élever, le public garde un goût très vif pour les décors somptueux, les tenues d'apparat et les grandesses évanouies. Un goût qui, naguère, se nourrissait d'envie ou d'espoir et qui, désormais, ne traduit plus qu'une nostalgie confuse. Montherlant feint de le partager, quand il se flatte d'être « anachronique ». Mais il sait mieux que quiconque que le pourpoint ne sauve rien s'il habille seulement des marionnettes.

[1] *Le Génie du Christianisme.*

LA REINE MORTE

tragédie de l'ambivalence

Montherlant rapporte ce jugement d'une femme sur *La Reine Morte* : « C'est le triomphe de l'amour : amour d'Inès pour Pedro et pour son fils, amour de l'Infante pour Inès. L'amour, seul objet à quoi se prendre. Ferrante devait tuer l'amour, éteindre cette lumière, la logique de son destin l'exigeait; mais il meurt en y croyant, malgré qu'il en ait. Et ce triomphe de l'amour est encore souligné par la scène finale, où tout le monde se groupe autour d'Inès étendue [1] ».

Impossible de souscrire à ce jugement. Car Inès, incarnation de l'amour, n'est pas le personnage principal de cette pièce, malgré le titre. Car l'Infante priant Inès de l'accompagner en Navarre, agit davantage par pitié et hauteur d'âme que par amour : elle a pour fonction de protéger; elle veut être digne de l'opinion flatteuse qu'elle a d'elle-même. Car il n'est pas du tout dans la ligne de Ferrante de tuer l'amour; il n'en a pas horreur; il le tue, non tellement par raison d'Etat, mais dans un moment où sa faiblesse prend le masque de la rigueur pour s'abuser elle-même : remarquons au passage que les héros de Montherlant décident presque toujours dans ces moments-là; ils consomment leur perte ou celle des êtres qui leur sont chers dans la minute où baisse leur vitalité. Il nous semble que dans cette pièce l'ambivalence tient une plus grande place que l'amour. Elle est dans chaque scène, parfois en même temps à l'extérieur et à l'intérieur des personnages, hormis un.

L'Infante de Navarre trépigne d'orgueil; son petit corps est malmené par une âme d'airain; elle a séduit Ferrante par son appétit de gloire et son arrogance

[1] *Notes sur mon Théâtre.*

naïve : « Elle est brusque, dit-il, profonde, singulière. Et cette énergie pleine d'innocence... Son visage est comme ces visages de génies adolescents qu'on voit sculptés sur les cuirasses, et qui, la bouche grande ouverte, crient éternellement leur cri irrité ». Élevée pour le règne, elle n'aspire qu'à régner. Au contraire de Pedro, ami de la facilité, un peu craintif, un peu hypocrite, soumis sans l'être à l'autorité de son père, qui n'est un peu vrai qu'auprès d'Inès et sacrifierait allègrement son trône pour elle : « J'ai quarante années à vivre. Je ne serai pas fou. Je ne les rendrai pas, de mon plein gré, malheureuses, alors qu'elles peuvent ne pas l'être ». L'Infante est une adulte au visage d'adolescente. Pedro est un adolescent au visage d'adulte.

Même dualité dans l'entourage du roi. Le vieux précepteur, don Christoval, s'agenouille devant Pedro avant de l'arrêter; il ressent un grand chagrin à remplir cette mission. Au contraire, Egas Cœlho s'empresse de donner un avis qu'on ne sollicite pas; il agit par méchanceté pure, et se perd. Les pages débitent mille sornettes et font des niches, ce qui est de leur âge; mais l'un d'eux écoute aux portes et trahit Ferrante, ce qui est d'un homme.

De même Inès, qui est amour, s'oppose à Ferrante qui nie l'amour. Inès est le seul être pur. Elle est faite pour aimer, comme l'Infante pour être obéie : « Toute petite, quand la forme de mes seins n'était pas encore visible, j'étais déjà pleine d'amour pour mes poupées; il y en avait toujours une que j'appelais l'Amant, et l'autre la Bien-Aimée ». Depuis que l'amour de Pedro l'éclaire, elle ne souhaite pas d'autre lumière; au lieu de rêver à ce qu'elle n'a pas — comme tant de femmes qui se prétendent amoureuses, — elle rêve à ce qu'elle a. Alors qu'elle ne désirait que de passer sa vie « retirée dans le petit coin de la tendresse, perdue et oubliée au plus profond de ce jardin », elle accepte de devenir reine afin de vider ce calice « bouche à bouche » avec Pedro. L'enfant qui grandit dans son sein, c'est l'amour et la vie de son amant qui se reforment en elle. Et, plus sublime encore dans sa simplicité, elle trouverait naturel de mourir pour l'homme qu'elle aime.

Ferrante ne comprend plus ce langage. C'est une âme aride, un désert brûlant, avec ça et là des oasis. Il boit à l'âme-source d'Inès, suffoque, s'irrite, et supprime cette fraîcheur insolite. Il y a trop longtemps qu'il règne. Par moments, un sentiment ancien se réveille en lui, aussitôt jugulé, caveçonné. Quelquefois son cœur lui vient aux lèvres, et quelquefois hors de ses lèvres un serpent darde « sa tête brillante ». Il incarne l'ambivalence humaine, toujours passant d'une extrême à l'autre, toujours sur l'échelle qui mène de l'Enfer au Ciel. Il dit : « *Regardez : la route, la carriole avec sa mule, les porteurs d'olives, c'est moi qui maintiens tout cela. J'ai ma couronne, j'ai ma terre, j'ai ce peuple que Dieu m'a confié, j'ai des centaines et des centaines de milliers de corps et d'âmes. Je suis comme un grand arbre qui doit faire de l'ombre à des milliers d'êtres* ». Et quelques jours après : « *Il y a trente-cinq ans que je règne : c'est beaucoup trop. Ma fortune a vieilli. Je suis las de mon royaume. Je suis las de mes justices, et las de mes bienfaits; j'en ai assez de faire plaisir à des indifférents* » Un peu plus tard il dit : « *Inès, cette nuit est pleine d prodiges. Je sens que je m'y dépasse, que j'y prends ma plu grande dimension, celle que j'aurai dans la tombe, et qu'ell est faite pour que j'y dise des choses effrayantes de pureté* » Mais ensuite il essaie de détruire, avec des parole affreuses, l'amour d'Inès pour l'enfant qu'elle porte Au comble du dégoût et de la lassitude, alors qu'il affir me n'être plus qu'une armure vide, il décide de tue Inès parce qu'il lui a fait des confidences. Et la mor d'Inès paraît d'autant plus atroce qu'elle n'est pas rée lement couverte par la raison d'Etat, mais résulte d l'affaissement nerveux de ce vieillard. Ferrante, mou rant, trahira son secret : « *O mon Dieu ! dans ce rép qui me reste, avant que le sabre repasse et m'écrase, faites qu' tranche ce nœud épouvantable de contradictions qui sont en mo de sorte que, un instant au moins avant de cesser d'être, je sach enfin ce que je suis* ».

MALATESTA

tragédie de l'aveuglement

Le Pape Pie II veut envoyer des troupes à Rimini, la principauté de Malatesta, pour la « protéger » des Vénitiens. En échange, il offre deux villes au condottière. Malatesta, fou de rage à l'idée qu'on cherche à le déposséder de Rimini, veut empoisonner le pape. Il confie cette mission à l'un de ses lettrés à gages, Porcellio, qui a écrit un *Traité des Poisons*. Porcellio se récuse. Malatesta ira donc lui-même, non empoisonner, mais poignarder le pape. Mais à Rome, au lieu de tuer son ennemi, il se met à genoux devant lui, et pleure. Pie II, soucieux de désarmer le meilleur homme de guerre de l'Italie, concède à Malatesta un emploi honorifique et bien rétribué. Le condottière, réduit à l'inaction, se ronge. A la Cour pontificale, on s'écarte de lui comme d'un pestiféré. Seul un disgrâcié, l'académicien Platina (déjà voué au supplice), ose lui adresser la parole. Malatesta tombe malade. Son épouse, Isotta, accourt de Rimini et obtient du pape un congé de trois mois pour son seigneur. Mais à Rimini, Malatesta trouve une prompte mort. Porcellio, son protégé, l'empoisonne.

Certes, la ligne est moins nette que dans *La Reine Morte*; la logique, moins satisfaite. Dans *La Reine Morte*, la destinée resserre, d'acte en acte, de scène en scène et presque de réplique en réplique, sa poigne autour du cou frêle d'Inès; l'amour lutte contre l'orgueil et la méchanceté humaines. Dans *Malatesta*, point de menace grandissante, point de conflits d'âmes, mais le bouillonnement et la fumée des laves. Si la phrase de Montherlant : « Je peins un homme donné, dans un cas donné, c'est-à-dire un homme dont la conduite recèle du bien et du mal [1] », peut être appliquée à

[1] *Notes sur mon Théâtre.*

l'une de ses pièces, c'est à celle-ci. *Malatesta* est le portrait fidèle d'un homme qui incarne parfaitement le génie et les turpitudes de cette époque. C'est aussi une peinture de l'incohérence humaine, de l'aveuglement humain, plus sensibles dans les moments troublés de l'histoire.

Sigismond Malatesta a trop de vitalité, trop de sang et des nerfs trop à vif. Il s'égare dans des décisions impulsives, des colères puériles. La haine et l'amour le traversent avec la rapidité des nuées poussées par l'orage. Tout dans sa conduite est incohérent, hormis sa volonté de passer à la postérité. De plus, il s'illusionne sur tout. Il a confiance en Porcellio, et celui-ci le hait. Il veut l'envoyer porter le poison à Pie II, et Porcellio l'empoisonnera. Il proclame la suprématie de l'intelligence, mais il traite ses lettrés en valets et leur confie de basses besognes. Il veut assassiner le pape et, parce que ce dernier le traite avec douceur, il s'écroule à ses genoux. Il se met dans la main du pape, et celui-ci abuse de sa confiance. Il veut combattre pour la plus grande gloire de l'Église, et l'Église lui en enlève les moyens. Il revient à Rimini, grâce à Isotta, et s'empresse de la tromper. Il croit à sa chance, un quart d'heure avant d'être assassiné. Il mise sur la postérité, fait écrire une *Vita Magnifici et Clarissimi Sigismundi de Malatestis* et, quand il agonise, il en voit brûler les feuillets par Porcellio.

Même aveuglement chez les autres personnages, et même incohérence. Le maître d'escrime Sacramoro envoie dire qu'il va bien, puis il meurt, à dix minutes d'intervalle. Platina, l'académicien de Rome, se sent menacé; il pourrait fuir; il ne le fait pas, parce qu'il escompte la clémence du pape et se juge inoffensif; lui aussi a confiance dans son étoile, et il se trompe. Apprenant son arrestation, Malatesta se moque, alors que sa propre mort est proche. Le pape a un mouvement de cœur lorsqu'à la demande d'Isotta il accorde le congé; mais aussitôt il le regrette, et se rattrape en faisant arrêter Platina. Enfin, Isotta elle-même provoque involontairement la mort de Malatesta qu'elle aime et révère. Non seulement elle obtient son retour à Rimini, sans lequel il ne serait pas mort, mais, sous un prétexte futile, elle rappelle Porcellio qui versera le poison.

« *Très honoré que Votre Altesse,* dit Porcellio, — *pour la première fois depuis dix jours qu'elle est revenue — me pose une question sur mes travaux. J'écris un complément au De Béneficis de Sénèque. Je reprends le titre de Sénèque et j'y ajoute un sous-titre : Les Bienfaits, ou La Course à l'Abîme* ».

La Course à l'Abîme. Ce pourrait être aussi le sous-titre de cette pièce.

« EN VESTON »

> « *La tragédie, cependant, reste à nos foyers. Et ce n'est pas notre faute si nous sommes en veston.* »
>
> Michel de SAINT-PIERRE.

Michel de Saint-Pierre compare[1] les pièces « en veston » de Montherlant aux tragédies grecques. Même simplicité d'action et de sentiments. Mêmes ressorts : la terreur, l'horreur, la pitié, qui sont filles du destin. Même climat cosmique : en regardant les astres, ses personnages déplient leurs ailes froissées et souillées par la vie; ils parlent aux étoiles à la manière des Anciens; ils leur attribuent des intentions, une influence. Mais il y a, chez les Grecs, une espèce de gratuité, d'arbitraire dans le choix. L'Olympe tourmente les hommes, avec ou sans raison; les écrase. Chez Montherlant, le destin garde son rôle, mais l'homme reste le propre instrument de sa perte ou de sa rédemption; c'est en lui-même, dans sa terrible soif d'absolu, qu'il puise la

[1] *Montherlant, bourreau de soi-même.*

force ou l'orgueil de se déchirer. En cela réside l'originalité de Montherlant. En cela « l'anachronique » rejoint nos temps modernes, et par là, croyons-nous, il accède à l'éternel humain.

*
* *

FILS DE PERSONNE et DEMAIN IL FERA JOUR

tragédies de l'amour paternel

« *Sortant de pièces longues et touffues comme* La Reine Morte *et* Port-Royal [1], *j'ai été charmé de fabriquer une pièce qui n'existât que par son action intérieure; d'éprouver si elle se suffirait de ne comporter rien qui ne fût nécessaire à cette action : de la faire simple et presque décharnée, analogue à ces corps d'athlètes qu'un massage averti a décapés de tout ce qui n'est pas utile au but qu'ils se proposent, ou encore à ces dessins au trait dans lesquels tout est donné par une seule lignes vidée en quelques endroits (ici, les entr'actes), que l'imagination du public doit remplir.* »

Ceci à propos de *Fils de Personne*, pièce courte en effet, sobre jusqu'à paraître desséchée, et même un peu squelettique. Mais cette aridité s'accorde à l'âme du héros, Georges Carrion, samouraï égaré dans la France de 1942, celle des renoncements.

Ce Georges Carrion, avocat de profession, a eu jadis un bâtard qu'il n'a pas voulu reconnaître. Il a abandonné la mère, en lui remettant « le chèque sauveur », c'est-à-dire le chèque « de celui qui se sauve ». Avant la déclaration de guerre, il rencontre par hasard la mère et le fils (Gillou) dans le métro. Il s'enthousiasme pour le garçon et se met en tête de remplir son rôle de

[1] Il s'agit du premier *Port-Royal*.

père. Prisonnier, évadé, il installe Marie et Gillou à Cannes où il passe tous ses week-end (il a un cabinet à Marseille). Là, débute l'action. Gillou est plein de gentillesse et de bonne volonté. Mais il manque d'étoffe. C'est une espèce d'Auligny adolescent, un gosse trop bien peigné, trop attentif au qu'en dira-t-on, trop semblable à sa mère, avec ses roueries minuscules, son insignifiance, sa servilité originelle. Georges essaie vainement de lui inculquer des vues plus hautes. Gillou ne comprend pas que son père le réprimande parce qu'il s'extasie sur un film; parce qu'il fait des fautes de français; parce qu'il « s'embête ». Carrion cite Balzac : « On ne s'ennuie jamais quand on fait de grandes choses ». Et l'adolescent répond : « Il est bon, Balzac ? ». Il y a dans ce dialogue entre ces deux êtres qui s'aiment ou croient s'aimer, un désaccord perpétuel. Ils s'épuisent à vouloir se rapprocher, car ils ne parlent pas le même langage, ne respirent pas à la même hauteur, appartiennent à des mondes différents. « Je suis las de te faire sentir des choses que tu devrais sentir toi-même ! » Et l'enfant cogne de-ci, de-là, comme un bourdon emprisonné, contre la vitre qui le sépare de son père. Le père voudrait briser la vitre, mais ne peut. Double échec. Là est le drame. Quant à la mère elle est tout ensemble l'élément modérateur, et perturbateur. Elle essaie d'arranger les choses : « Un être humain, dit-elle, n'est pas un verre, dont on reconnaît, à une seule chiquenaude, s'il est de verre ou de cristal ». A quoi Georges réplique : « L'indulgence, ce serpent auquel il faudrait écraser la tête ». Mais, en partant au Havre rejoindre son nouvel amant, Marie précipitera la rupture entre Georges et Gillou. Georges, qui flaire une obscure machination, propose à Gillou de rester dans le Midi. Gillou se dérobe; ensuite, « énervé », il se décide à trahir sa mère. Mais il est trop tard. Georges s'est détourné de lui.

Ainsi Gillou, victime innocente, « fils de personne », est sacrifié par son père à l'idée que celui-ci se fait de la qualité humaine; et par sa mère, accessoirement, à la volonté qu'a celle-ci de refaire sa vie. Georges le rejette hors de sa sphère, parce qu'il n'est pas conforme à l'être dont il avait rêvé. Alban de Bricoule, pour un motif semblable, a rejeté Dominique, puis, Soledad; l'auteur des *Olympiques* a rejeté Peyrony. Georges Carrion aimait trop Gillou, et il ne l'aimait pas assez. Son amour est crucifié sur lui-même.

Demain il fera jour est la suite et l'amère conclusion de *Fils de Personne*. Georges — dont la seule excuse aux yeux du public était la hauteur d'âme — retombe au niveau commun. Il rentre à Paris, un peu avant la Libération. Marie a été abandonnée par l'amant du Havre. Elle accepte d'autant plus facilement de se réinstaller à Paris, avec son fils qui est devenu sa seule raison de vivre. Gillou a dix-sept ans. Il veut entrer dans la Résistance. Sa mère l'approuve, du moins semble disposée à céder : elle veut qu'il soit heureux, pour le garder près d'elle. Georges refuse, parce qu'il déteste que l'on prenne des risques inutiles. Mais, ayant reçu une lettre de menaces (c'est un « collaborateur »), se sentant compromis, il revient sur sa décision. Ainsi le « samouraï » sacrifie son fils à sa sécurité : Gillou sera tué le lendemain. Encore une fois, mais définitivement, il sera sacrifié à l'égoïsme de ses parents. La scène où Georges et Marie attendent son retour est inoubliable, pleine de spectres : spectres du non-amour, de la peur, du désespoir, du châtiment qui menace, spectre de la mort, ce messager muet qui, détournant les yeux, libère le cri terrible de la mère et dénoue l'insupportable angoisse...

CELLES QU'ON PREND DANS SES BRAS

ou le désir frusté

Fils de Personne et *Demain il fera Jour* prolongent la partie moralisatrice de l'œuvre de Montherlant. *Celle qu'on prend dans ses bras*, la partie costalienne. D'ailleurs c'est un passage des *Jeunes Filles* qui a fourni le titre de cette pièce : « Voyez-vous, il n'y a qu'une façon d'aimer les femmes, c'est d'amour. Il n'y a qu'une façon de leur faire du bien, c'est de les prendre dans ses bras. Tout le reste, amitié, estime, sympathie intellectuelle, sans amour est un fantôme cruel, car ce sont les fantômes qui sont cruels : avec les réalités on peut toujours s'arranger ».

L'antiquaire Ravier, comblé d'argent et de toutes les satisfactions imaginables, est un Costals vieilli. De même peut-on voir en Mlle Andriot, femme intelligente et dont la collaboration s'avère précieuse, une Hacquebaut sûrie; et le pendant de Solange Dandillot dans la jeune fille Christine. Autre part, Montherlant a écrit : « Un désir frusté mime l'amour ». Voilà qui se rapporte exactement à cette pièce, où l'amour revêt le masque un peu grimaçant d'un silène au retour d'âge. Ravier désire Christine. Pour l'attirer chez lui, car la petite est rétive, il lui paie très cher des motifs de décoration qui n'ont pas la moindre valeur. Il est persuadé que toutes les femmes se peuvent acheter. Mais Christine se refuse. Cette « pureté » étonne Ravier, puis le charme, et métamorphose — en apparence — ce qui n'était qu'un désir en amour, ou plutôt en tendresse. Tendresse quasi paternelle, sur laquelle il s'abuse, ou feint de s'abuser. Le refus de Christine lui a fait comprendre qu'il est devenu un vieil homme, que son visage velu n'est pas agréable à regarder; qu'il lui faut enfin réduire ses prétentions donjuanesques.

Près de lui, il y a cette demoiselle Andriot, cœur inemployé, chair qui n'a pas connu le mâle, mais n'a pas cessé de le convoiter. Elle aide Ravier dans ses travaux. Elle l'écoute complaisamment parler de « son amour » pour Christine. Lorsqu'elle lui avoue qu'elle l'aime et comprend qu'elle lui fait horreur, pour réparer elle essaiera de lui « donner » Christine. Mais quand Christine vient demander à Ravier de sauver son père, qu'elle est prête à capituler, la gouvernante n'y peut tenir : dans un instant d'égarement, d'énervement (ces instants-là, clefs des dénouements dans le théâtre de Montherlant : Ferrante, Gillou, Carrion) elle trahit Ravier. Alors tombent simultanément les masques. Ravier hésite, brièvement, entre son désir et sa pseudo-tendresse : son désir l'emporte, et transparaît son mépris pour Christine. « *Tu mens ! Tu es fausse. Tes yeux mentent, ton corps ment, toutes les papilles de ta peau mentent. Tu n'es pas à moi, tu ne me donnes rien, tout est faux dans ce que nous faisons en ce moment. Mais je dis comme cet homme : le meuble est faux, j'en aurai des ennuis. N'importe, je le prends, parce que j'en ai envie.* » Quant à « son amitié virile » pour Andriot, celle qu'on ne prend pas dans ses bras, elle recouvrait ceci : « *Ne vous occupez pas de ce serpent. Je lui écraserai la tête quand je le voudrai. Moi aussi, j'ai sept ans de haine qui ont leur mot à dire* ».

Il y a une différence de registre entre cette pièce et les précédentes. Elle appartient à ce que Montherlant a appelé sa veine « pis que profane ». Si elle prétendait à être une peinture de l'amour, elle serait inadmissible. Mais, comme *Les Jeunes Filles*, elle n'en est que la caricature.

BROCÉLIANDE

ou Quand Don Quichotte cesse d'être fou

Pareillement, *Brocéliande* se rattache-t-elle aux *Célibataires*. Son héros, M. Persilès, fonctionnaire des plus moyens, a, quoique marié depuis trente ans, la psychologie d'un vieux garçon. Ses manies, sa passion pour les vêtements élimés et les pantoufles à trous, sa pusillanimité, ses possibilités secrètes, évoquent irrésistiblement Léon de Coantré. Il est installé dans sa médiocrité, comme un rat dans son fromage. Il se délecte morosement d'avoir gâché sa vie, d'arriver à l'âge où le tour est joué, où il faut renoncer même à l'espoir d'un changement si mince soit-il. Et il a les roueries minuscules de Léon, ses pauvres ruses. Il joue au gâteux pour qu'on lui fiche la paix, pour désarmer. Et même est-ce qu'il joue tout court, à ceci et à cela, en attendant sa retraite tout à la fois redoutée et convoitée. Or voici qu'un certain Bonnet de la Bonnetière, vaguement bibliothécaire d'un institut quelconque, va troubler les fêtes grises de M. Persilès, l'entraîner dans cette forêt de Brocéliande qui est celle des fantasmagories humaines. M. Bonnet de la Bonnetière avoue qu'il est héraldiste. Sarcasmes de Persilès. Mais Bonnet : « *Ah ! Les blasons, Monsieur ! Songez, cela est plein de licornes, de lions, de dauphins, de soleils, de roses, de léopards, de croissants, d'éperviers, d'épées, de cerfs, d'étoiles, de cygnes, de centaures; et cela de toutes les couleurs de la création. Et le tout décrit en termes incompréhensibles, ce qui en montre bien la profondeur et la beauté... Je vous le dis, c'est la forêt de Brocéliande... On en sort enchanté, on titube, le philtre a été trop fort...* ». Et en effet le naïf et doux Persilès y va tituber, en apprenant, de la bouche de ce Bonnet, qu'il est un descendant authentique de Saint-Louis. La graine insignifiante déposée par l'héraldiste va se développer et croître dans cette faible cervelle avec une vitesse prodigieuse, recouvrant entièrement les habitudes bien enracinées, les opinions, révélant dans ce fonctionnaire au bord de la retraite un autre homme. Et c'est ici que la bonne grosse plaisanterie laisse place à une idée extrêmement subtile. M. Persilès s'explique : « *Je n'ai jamais été quelqu'un de brillant. J'étais un grotesque et je le savais. Vous êtes venu, vous avez dit une parole, et vous m'avez rendu l'honneur de vivre. Il est sorti de moi un autre être, qui était aussi moi, mais qui était mon meilleur moi... Je me sauvais tandis qu'on me croyait divaguant. Les gens voient toujours le ridicule où il n'est pas, et notamment dans tout ce qui est bien, et ils ne le voient pas où il est... Avoir une gouttelette, une gouttelette infime du sang de Saint-Louis — à condition de n'être pas cinq mille ou quinze mille à avoir pareille gouttelette, — et en être fier, et se métamorphoser à cause de cela, ce n'était pas ridicule. Cela vous forçait à vous tenir droit. Cela vous forçait à agir mieux. Cela vous créait des devoirs...* ».

L'homme qui ne se sent plus de devoirs et qui n'a

pas le courage d'accepter la vie réelle, est perdu. C'est ici l'idée-force de Montherlant. Persilès se croit le seul descendant de Saint-Louis et s'adjuge en conséquence une mission continuatrice : il se hausse au-dessus de lui-même; il se sent avide de justice; prend pitié du « royaume de France » et des humbles; se joue à lui-même une comédie de grandeur, sans trop y croire, en y croyant quand même et plus qu'il ne paraît. Car, lorsque sa femme, énervée par sa sottise, lui révèle qu'il existe cinq mille descendants de celui-ci, il s'effondre. Tout le ridicule de son attitude lui apparaît. Il rentre dans le rang, se retrouve grotesque, misérable comme devant. Et se suicide.

Cette mort, inattendue, vrai « coup de théâtre » ouvre un abîme, jette sur Persilès une lueur aveuglante, d'une brutalité inouïe, prouve qu'il n'était pas conforme à ses apparences, mais habité par une âme qui refuse de se renoncer, et se libère parce qu'elle suffoque de médiocrité, d'humiliations accumulées. Mêmement aperçoit-on dans la mort de Coantré, l'homme qu'il aurait pu être et qui déchire son enveloppe ridicule.

L'originalité de la pièce réside, à mon sens, dans son dénouement. Très justement, M. Pierre Descaves, a jugé qu'elle était la pièce « la plus gaie et la plus triste » de Montherlant. Elle est pleinement comédie — et l'on songe au Bourgeois Gentilhomme en la relisant — pendant deux actes. Le troisième acte est tragique. Il y a peu de démiurges qui, de la sorte, aient osé juxtaposer les deux genres.

« TRILOGIE CATHOLIQUE »

« De la veine chrétienne » sont sorties trois pièces : *Le Maître de Santiago*, *La Ville dont le Prince est un Enfant* et *Port-Royal*, toutes les trois d'un mérite égal et conférant à l'œuvre une signification que l'on ne soupçonnait pas, mais une hauteur que l'on attendait. En elles Montherlant a exprimé, plus intensément que partout ailleurs, sa gravité, son amertume et, peut-être, sa secrète espérance.

LE MAITRE DE SANTIAGO

tragédie de la pureté

M. Gabriel Marcel a écrit que *Le Maître de Santiago* lui paraissait très supérieur à *La Reine Morte*, que c'était le chef-d'œuvre de son auteur. Quand on a lu *Port-Royal*, on ne partage plus cette opinion. Il se pourrait que le chef-d'œuvre de Montherlant fût ce drame janséniste dont l'acide attaque à ce point l'âme que les tendres fantômes conventuels sont inoubliables. Mais il est indubitable que *Santiago* restera, aux yeux du plus grand nombre, comme la pièce-type de Montherlant, la plus conforme à l'idée que l'on se fait de cet écrivain. En outre la pensée de Montherlant s'y traduit en clair; il est aisé de discerner qu'Alvaro, c'est lui. Certains objecteront qu'il est aussi sous le cuir tanné de Malatesta, et sur le trône du roi Ferrante, et qu'en cela réside son habileté. Mais Alvaro est le plus facile à capter dans son ensemble; il est moins éparpillé; il ignore ce qu'est « un nœud de contradictions »; il est simple, pour quoi on le préférera toujours.

L'architecture de *Santiago* est d'une sobriété extrême. Si, dans *La Reine Morte* et dans *Malatesta*, on peut relever des complications inutiles, ici nous ne voyons qu'une ligne parfaitement droite, sans « tremblés », sans bavures, sans repentirs. *Santiago* ne contient pas « d'admirables morceaux »; il est d'une seule coulée.

Nous sommes en 1519, à Avila, dans la salle d'honneur d'Alvaro Dabo, gentilhomme castillan et chevalier de l'Ordre de Santiago. De cet Ordre — dont l'emblème est une épée fleurdelysée — le roi s'est proclamé le Grand-Maître, afin de le contrôler et d'en éteindre l'influence. Mais Alvaro continue de vivre pour son Ordre et c'est lui qui, par le choix de ses pairs, en est le véritable Maître; c'est dans sa maison que se réunissent les derniers chevaliers fidèles. Alvaro a une fille, Mariana, qu'il aime un peu comme un objet, ou comme un grâcieux animal familier, à condition qu'elle ne l'encombre pas. Or, Mariana est éprise de Jacinto, fils d'un ami d'Alvaro, don Bernal, également chevalier de Santiago. Au premier acte, nous assistons à une réunion de l'Ordre. Don Bernal arrive un peu à l'avance; il annonce à Mariana que plusieurs chevaliers vont être envoyés « aux Indes », dont Alvaro Dabo. Le départ de celui-ci aura l'avantage de l'enrichir et de permettre ainsi le mariage de sa fille avec Jacinto. Mais Alvaro refuse brutalement de prendre part à l'expédition. Cependant, quand don Bernal — qui ne se tient pas pour battu — lui dépêche le comte de Soria et que ce dernier, au nom du roi, le prie de partir, Alvaro chancelle. Alors Mariana fait irruption dans la salle, et le sauve en dénonçant le subterfuge de Bernal : ce qu'a dit le comte de Soria est invention pure; le roi n'a jamais parlé d'Alvaro. Le Maître comprend combien il a été injuste envers sa fille et lui demande pardon. Puis, il l'entraîne vers le cloître. Et Mariana découvre « *qu'une seule chose est nécessaire, et qu'elle est celle que tu disais...* ».

Toute la pièce repose sur l'idée du sacrifice rédempteur. Alvaro renonce à la gloire : « *Si j'avais eu quelque renommée, je dirais d'elle ce que nous disons de nos morts : « Dieu me l'a donnée. Dieu me l'a reprise. Que sa volonté soit faite ». Je n'ai soif que d'un immense retirement* ». Et comme il n'est pas très sûr de lui, il fustige son pays coupable de mensonge (l'évangélisation, prétexte de la conquête des Amériques). Il fustige les chevaliers coupables d'avoir pactisé avec le monde, rabaissé l'Ordre, en se faisant les complices du crime colonial. Il condamne la société pourrie par l'esprit de lucre et par l'hypocrisie : « *Je suis fatigué de l'indignation. J'ai soif de vivre au milieu d'autres gens que des malins, des canailles et des imbéciles* ». Il brandit cet étendard de la pureté pour cacher son déchirement : « *Savez-vous ce qu'est la pureté ? Le savez-vous ? Regardez notre manteau de l'Ordre il est blanc et pur comme la neige au dehors. L'épée rouge est brodée à l'emplacement du cœur, comme si elle était teinte du sang de ce cœur. Cela veut dire que la pureté, à la fin, est toujours blessée, toujours tuée, qu'elle reçoit toujours le coup de lance que reçut le cœur de Jésus sur la Croix...* ». Alvaro va, dans son délire, jusqu'à extirper de son cœur l'amour paternel; il rejette Mariana comme une occasion de péché. Mais cette âme si forte — et c'est par de tels traits que Montherlant se révèle grand dramaturge — vacille soudain, s'ouvre au sentiment le plus indigne d'elle : la vanité. « *Que le roi sache que les Indes sont une tragédie sans issue... et qu'il ait pensé à moi à cause de cela... En vérité, ceci me touche au vif.* » C'est sa dernière épreuve. Il a renoncé à tout, même à l'affection de ses pairs; il doit renoncer encore à l'idée qu'il se fait de soi, paraître ridicule à ses propres yeux, être sauvé, non par son propre courage, mais par l'intervention de ce qu'il dédaignait, Mariana. Humblement, ce fou d'orgueil s'agenouille devant sa fille et balbutie : « *Quand ma meilleure part se dérobait, toi, tu as été ma meilleure part. Je t'ai donné la vie : tu m'as rendu la mienne* ». Et Mariana, aspirée par le souffle brûlant de cette âme, elle aussi, achève de rompre ses entraves. Elle abdique son rêve d'amoureuse. Ce mariage, sur lequel elle voulait refermer les portes de la vie, elle le consommera avec Dieu. Les dernières vagues terrestres viennent lècher ses pieds : « *O mon Dieu, quand j'étais dans les bras de la tendresse humaine !* ». Elle n'a que cette tendresse à sacrifier et, l'ayant fait, elle dit : « *Je bois et je suis bue, et je sais que tout est bien !* ».

LA VILLE DONT LE PRINCE EST UN ENFANT

ou : comment se corrompt la foi

La Ville a ses racines dans *La Relève du Matin.* Elle se rattacherait, si l'on en croit Faure-Biguet, à quelque épisode de l'adolescence de Montherlant, à tout le moins à son renvoi du collège de Sainte-Croix. Comme Sevrais, l'élève de philosophie, Montherlant fut le point de mire de son collège (nous l'avons déjà dit), membre de « l'Académie », etc... L'abbé de Pradts fait à Sevrais la même réflexion qu'un certain Père de la Chapelle fit au jeune Montherlant, lors de son renvoi : « Vous sourirez de tout cela quand vous aurez vingt ans ». A preuve qu'il n'en a pas souri. Il l'a même pris tellement au sérieux que, quarante ans après, il en a tiré une pièce. Pourtant ces considérations, si elles piquent notre curiosité, sont d'un intérêt relatif. Il ne s'agit pas de s'inspirer ou de ne s'inspirer pas de sa propre biographie, mais de faire un bon livre, ou une bonne pièce. Au surplus, le sujet de *La Ville* n'est point exactement le renvoi d'un élève, mais le conflit Dieu-Affections humaines qui déchire l'abbé de Pradts et finit par corrompre sa foi. Moins l'amitié un peu trouble qui unit Sevrais au petit Sandrier que la jalousie de l'abbé.

L'abbé de Pradts est préfet de discipline dans un collège privé; il a donc la charge infiniment délicate de gouverner de jeunes âmes. Il a pour Sandrier, élève de troisième, une étrange indulgence qu'il explique à grand renfort de raisonnements et sur laquelle il se méprend. Par deux fois, il a épargné le renvoi à cet enfant rebelle. Il se flatte de le redresser, de le guérir. Mais il n'est pas le seul à exercer une influence sur lui. Sandrier s'est fait un ami de « la gloire du collège », Sevrais. L'abbé de Pradts condamne publiquement cette amitié. Puis, comme Sevrais lui propose de rompre avec son protégé, l'abbé manœuvre de façon odieuse. Il feint de revenir sur sa décision, et tend un piège aux deux garçons. Ceux-ci forts de la promesse de l'abbé, se rencontrent dans une resserre, non pour y faire le mal, mais pour arrêter ensemble un plan de conduite, étudier comment devenir meilleurs, dignes de l'autorisation reçue. On les surprend. L'attitude hésitante de Sandrier autorise tous les soupçons. L'abbé de Pradts en profite pour obtenir le renvoi de son « rival » qui doit en outre s'engager à ne plus revoir Sandrier. Désormais l'abbé aura l'enfant pour lui seul; il pourra l'emmener à la campagne pendant les vacances; nul ne viendra plus défaire son ouvrage de la veille. Il dit à Sandrier cruellement, tendrement : « Je pense que vous vous rendez bien compte qu'une fois de plus c'est moi le maître de votre sort. Maître de votre sort, comme je suis maître de vos larmes ». Mais le Supérieur rabattra promptement cette joie; il se rend chez l'abbé : « Nous savons que vous aimez les pleurs des gosses. Que vous aimez les pleurs des mères, comme il y en a qui aiment les pleurs des amantes. Nous savons que vous êtes passé maître dans l'art d'envenimer les choses ». En vain l'abbé se débat, souligne le bienfait de la crise dans les âmes adolescentes (idée chère à l'auteur). Le Supérieur l'a percé à jour. Il vient de renvoyer aussi le jeune Sandrier, occasion du désordre. Il arrache à l'abbé la promesse de ne pas revoir le garçon. Et, le talonnant : « Qu'avez-vous donc aimé ? Vous avez aimé une âme, cela est hors de doute, mais ne l'avez-vous aimée qu'à cause de son enveloppe charnelle qui avait de la gentillesse et de la grâce ? Et le savez-vous ? Et est-ce cela que vous avouez ? Et était-ce cela, votre amour ? Alors, assez parlé de lui; ç'a été une espèce de rêve sans sérieux et sans importance; bien plus encore que je ne le pensais, comme j'ai eu raison de vous en arracher ! Il y a un autre amour, Monsieur de Pradts, même envers la créature. Quand il atteint un certain degré dans l'absolu, par l'intensité, la perennité et l'oubli de soi, il est si proche de l'amour de Dieu qu'on dirait alors que la créature n'a été conçue que pour nous faire déboucher sur le Créateur... ».

C'est ce dernier amour dont l'abbé de Pradts a perdu la notion. Il a découvert trop tard le danger qu'il y a pour un directeur spirituel à trop s'attacher aux êtres. Une sorte de tendresse indéfinie fut l'aspect sous lequel la tentation s'est offerte à lui; il ne lui a pas résisté, oubliant jusqu'à sa condition de prêtre.

« Cette paternité douloureuse de ceux qui sont condamnés à être appelés : Mon Père... [1] »

Pierre de Boisdeffre [2] dégage parfaitement le caractère et la signification de *La Ville* quand il écrit que Montherlant s'y avoue « dans sa vérité, avec tendresse et déchirement, dans son amour pour les enfants »; quand, plus loin il précise : « Que démontre *La Ville ?* Rien, si ce n'est que tout est pur aux purs, que sur un certain plan de la qualité, quel que soit le dénouement apparent, nous ne pouvons pas donner tort à des êtres qui agissent avec tant de noblesse innée ». Et Pierre de Boisdeffre de citer M. Daniel Rops : « Il faudra certainement être profondément catholique pour accepter cette pièce et en entendre toutes les véritables résonances. Mais ma conviction, quant à moi, est faite : ne la jugeront scandaleuse que les pharisiens ».

PORT-ROYAL

tragédie de la Grâce

Port-Royal est le troisième volet du triptyque. Après l'ordre de chevalerie (*Santiago*) et l'ordre du collège (*La Ville*), le couvent. Et, l'on peut ajouter, avec l'auteur, un catholicisme épuré.

Montherlant précise qu'il eut l'idée d'écrire cette pièce en 1929, sous l'influence du livre de Sainte-Beuve, et notamment de cette phrase : « Port-Royal ne fut qu'un retour et un redoublement de foi à la divinité de Jésus-Christ ». Phrase que l'on peut rapprocher de cette réflexion de Saint-Cyran : « Il y a six cents ans qu'il n'y a plus d'Église ». Et qui rejoint la propre pensée de l'auteur : « Ou bien l'on croit au christianisme et on le vit, et c'est Port-Royal. Ou bien l'on

[1] *La Relève du Matin.*
[2] *Métamorphose de la Littérature.*

y croit et on ne le vit pas; et le moins déplaisant qu'on puisse faire en ce genre, il me semble que c'est alors ce que font Malatesta et les siens, parce que cela du moins est « authentique », et dénué d'hypocrisie. Je préfère une société qui agit comme si elle ne croyait pas, et qui croit, à une société — la nôtre — qui prétend croire au christianisme, en fait quelque peu les gestes, à l'occasion s'y guinde, mais n'y croit pas et ne le vit pas [1] ».

Cette haine du pharisaïsme, doublée de la passion de l'extrême, explique l'accord secret et durable entre le mouvement janséniste et l'esprit de Montherlant. Conçu en 1929, le premier *Port-Royal* fut écrit entre 1940 et 1942 : il comprenait alors quatre tableaux; puis récrit en juin-juillet 1953, sous une forme entièrement différente, et réduit à un seul acte. Ces trois dates ne constituent que les jalons majeurs. Le jansénisme n'a pas arrêté de hanter Montherlant. On en trouve des traces dans toute son œuvre. Et dans *Aux Fontaines du Désir*, son livre le plus athée, parfois on entend retentir l'appel déchirant de Pascal; on y sent l'angoisse du solitaire étreint par un désespoir « sans remède ».

*
* *

L'action de *Port-Royal* se situe en 1664, au moment précis où, après la condamnation de ce mouvement par le pape, le jansénisme est prêt de succomber. L'autorité écclésiastique, l'autorité royale, l'opinion, tout se ligue contre lui. L'archevêque fait pression sur les filles de Port-Royal de Paris pour qu'elles signent un formulaire de renonciation à la doctrine de Jansénius.

Dès la première scène, nous sommes en pleine crise. Au parloir du couvent, un père essaie de convaincre sa fille de signer; il expose en détail les vexations qui lui sont infligées par ses amis d'hier, seulement parce

[1] Notes sur *Port-Royal*.

que son enfant est janséniste; il menace, prie, se lamente, tout cela en présence de « la tierce », sœur dont le rôle consiste à assister aux entretiens de ce genre. Après le départ du malheureux, le dialogue entre les deux sœurs, puis celui entre plusieurs de leurs compagnes, nous montrent « l'énervement » de ces filles, leur incertitude, leur anxiété allant jusqu'au désespoir, leur indécision : Faut-il ou non, signer le formulaire ? Les réflexions admirables se mêlent aux sottises; les traits de générosité, à l'aigreur et à la mesquinerie. Déjà s'esquisse la trahison de sœur Flavie, rongée d'ambition. On sent monter autour des murailles de ce pauvre monastère une marée d'injustice et de haine. La visite de l'archevêque est plus ou moins attendue. Parmi les sœurs, les unes espèrent qu'elle sera bénéfique, et les autres, plus clairvoyantes ou plus courageuses, attendent le pire. Ce groupe de sœurs, hormis Flavie, n'est que de menu fretin; il remplit un peu le rôle du chœur dans les tragédies antiques; il donne le ton; mais ce n'est qu'un troupeau un peu bêlant.

Voici deux intelligentes, sœur Angélique de Saint-Jean et sœur Françoise. Sœur Angélique possède l'âme que Sainte-Beuve a définie : « Forte, triste, tendre, capable de toutes les belles agonies, une âme grande aussi dans son ordre et admirable »; c'est apparemment une mainteneuse de foi. Sœur Françoise a une âme d'oraison; sa foi coule de source et la raison n'y a point de part. Sœur Angélique est fermement opposée à la signature du formulaire : « En deux mots, voici notre règle : quand nos droits ne sont pas en cause, souffrir de bon cœur; quand la justice et nos droits sont en cause, nous défendre. Et j'ajoute que nos oppositions et notre désir de souffrir se concilient fort bien, puisque ces oppositions n'ont jamais servi qu'à nous faire traiter plus mal et souffrir davantage ». A quoi sœur Françoise répond : « Je songe à une autre règle que nous répétait notre mère Angélique : « Allons droit à la source, qui est Dieu ». Moi, je suis une petite goutte qui sèche si elle est détachée de la source ». Elle juge sans intérêt cette question de signature et voudrait que régnât l'amour là où sévit l'esprit « pédantesque ».

Le parcours accompli par ces deux âmes si différentes, et accompli en sens inverse, constitue l'armature de la pièce. A la faveur de la visite archiépiscopale, elles vont sortir de leur stagnation, prendre des routes imprévisibles. Cela illustre, une fois de plus, la théorie de l'auteur selon laquelle les évènements sont des révélateurs d'âmes. Sœur Angélique, tout orgueil abattu, s'enfoncera dans les ténèbres, cependant que sœur Françoise verra s'ouvrir les Portes du Jour.

La scène qui fait suite nous renseigne d'ailleurs sur la prétendue « solidité » de Sœur Angélique. Cette Judith conventuelle tremble devant la menace qui se dessine. Elle est lasse d'avoir peur. Elle confie à Mère Agnès : « Vous vous souvenez de la petite Sombreuil quand elle disait : « J'ai peur de l'eau. J'ai peur du vent. J'ai peur de tout » ? Moi aussi, j'ai peur de tout ». Non qu'elle redoute la souffrance en soi, mais que la visite de l'archevêque accroisse son désespoir. Et, quand elle pleure — comme le remarque Mère Agnès — ce n'est que sur elle-même, sur son innocence confiante de naguère. A l'approche du « Char de Feu », son âme fond : « Quand il vous semblera qu'est tombé en poussière ce qui seul vous permettait d'exister; quand les paroles de l'Écriture, qui tant de fois vous ont donné tant de force, ne vous donnent plus rien; quand tenant cela (elle tient le chapelet de sa seinture), on n'aura plus envie de le porter à sa bouche; quand il vous viendra des idées si effroyables que vous y apprendrez ce qu'est le désespoir, et par où l'on y va, et quelle est la tentation qui peut naître de ce désespoir... »

L'arrivée de l'archevêque achève de jeter le désarroi dans le couvent et dans le cœur de Sœur Angélique. L'archevêque est venu pour obtenir la signature du formulaire. On lui oppose un refus définitif. Sœur Angélique se cabre encore, mais ce n'est plus que pour sauver la face, ou tout simplement par orgueil. L'archevêque ordonne que soit réunie la communauté entière. Il annonce que les sœurs seront privées des Sacrements, que douze parmi les plus coupables seront exilées de Port-Royal et remplacées par des sœurs de la Visitation. La liste de ces douze sœurs a été établie par sœur Flavie qui rêve d'être nommée abbesse.

Les adieux de sœur Angélique à sœur Françoise dépassent en pathétique tout ce que l'auteur a écrit jusqu'à présent, même la scène terminale de *Santiago*. Dans *Santiago*, quand le maître referme sur Mariana le manteau de l'Ordre, un soleil se lève. Ici, c'est la nuit qui succède aux touffeurs du crépuscule. Sur champ d'ombre, cette sœur Françoise avec son mince rai de lumière, si fragile, si menacé; et cette sœur Angélique tout enténébrée de désespoir, et qui pourtant lutte encore, non cette fois par orgueil, mais afin de ne pas scandaliser l'autre, de ne pas lui enlever son courage ! Point de geste « théâtral », mais une discrétion exemplaire, une puissance maîtrisée.

*
* *

Quels échos cette pièce éveilla-t-elle, réellement, dans les esprits actuels ? Peut-être faut-il expliquer son succès par les contrastes qu'elle proposait et qui lui conféraient un caractère éminemment dramatique, en dépit de son action simplifiée à l'extrême. Contraste visuel entre les grands insectes or et rouge, « un peu monstrueux et coruscants » de l'archevêque et de sa suite, et les robes noires et blanches des sœurs, et les murs jaune-gris du couvent (le rayon qui entre par la fenêtre est une bien belle idée scénique !). Contraste entre la hautainerie de sœur Angélique et la bonhomie attentive de Mère Agnès. Entre la sécheresse d'âme de sœur Flavie et le ruissellement de tendresse de sœur Françoise. Entre ces âmes d'exception, cette élite de la souffrance, et le matérialisme épais de l'archevêque et de ses « chevaliers de terre ».

Ces mélanges esprit-chair sont familiers à Montherlant. Ils sont aussi la vie même qui ne perd jamais ses droits, s'étale partout et règne sur toutes les créatures, fussent-elles des anges terrestres.

*
* *

Dans l'une de ses *Notes*, Montherlant nous invite à comparer *Port-Royal* à *Santiago*.

Il est certain que les deux pièces expriment la même faim de pureté, la même volonté de sacrifice, développent un conflit identique entre les purs et les impurs. Non moins certain qu'entre sœur Angélique et don Alvaro les analogies sont nombreuses : ils sont cousins par l'orgueil démesuré; — ils pensent que la dévotion doit consister en un total abandon de l'être, d'où la nécessité de n'avoir aucune attache : « Rien de tel qu'une affection humaine pour porter de l'ombre sur le soleil de Dieu ! » — ils ont en commun le sentiment d'être en exil ou, ce qui revient au même, que le monde leur est étranger. Mais don Alvaro est soulevé par les grandes ailes battantes de l'espérance, tandis que sœur Angélique désespère. Santiago est axé sur la certitude que le sacrifice est salvateur : la gloire, l'argent, l'amour sont des écrans entre Dieu et l'individu. Ce qui domine en *Port-Royal*, c'est le désir d'une souffrance gratuite, mêlé de crainte. « L'Église, dit Mère Agnès, a plus maintenu ses vérités par ses souffrances que par les vérités mêmes ! ». Quant à la peur, elle dénature jusqu'aux incidents comiques de la pièce : la scène de « la miraculée », où se croisent les répliques « Un bouillon ! Une saignée ! », crispe les nerfs. *Santiago*, c'est le christianisme un peu fol des chevaliers castillans : ils jugeaient que Dieu seul était digne de leur amour. *Port-Royal*, c'est le christianisme du renoncement muet, le christianisme de l'angoisse, humble jusque dans ses traits d'orgueil, craintif jusque dans sa fermeté, encore assombri par l'arbitraire de la Grâce, par cette doctrine janséniste si proche de la notion de « Service Inutile »,

Dans *Santiago*, les deux volets de l'âme (Alvaro-l'affamé de pureté et Mariana la charnelle) se joignent comme deux mains en un geste de prière et s'élèvent vers « la Face de miel ». Dans *Port-Royal*, nulle face ne répand sa clarté; les volets de l'âme (sœur Angélique et sœur Françoise) s'écartent l'un de l'autre; l'interrogation demeure entière.

*
* *

Il est étrange qu'un écrivain qui se déclare volontiers incroyant ait pu écrire cette trilogie. L'hérédité n'explique pas tout. Non plus que l'éducation. Non plus que la psychologie. Non plus que l'intuition, voire le génie.

Il y a aussi cette faim de paix et de silence, cette soif dévorante de pureté que l'on retrouve partout dans cette œuvre, quelquefois suggérées, quelquefois hurlées à la face du public. Il y a ces nostalgies inexplicables, inlassablement répétées. Montherlant affirme qu'il ne peut « raisonnablement » croire. Est-ce avec la raison que l'on croit ? En lui le christianisme a poussé profondément ses racines. Des évènements, des êtres inconnus ont coupé l'arbre; mais les racines subsistent, vivaces, et résurgissent çà et là. C'est une chose étrange que *L'Exil*, par quoi s'est ouverte la carrière de ce dramaturge, renferme le sujet même de *Port-Royal*. Il écrivait dans *L'Exil* : « On m'a exilé de ma patrie profonde ! ». Les sœurs de Port-Royal sont, elles aussi, exilées de leur patrie profonde. L'œuvre entière de Montherlant, et non seulement son théâtre, est placée sous le signe de l'exil; c'est la quête acharnée d'on ne sait quel royaume de jeunesse perdu, d'on ne sait quelle assemblée de purs, dévots de l'Amour Immuable. Étrange, étrange pente chez « un incroyant ». Mais pour un caractère de ce métal, foi est synonyme de don; foi sans don, caricature. Si *Port-Royal* contient un message, c'est celui-ci.

VIII

DU ROI MINOS AU ROI KHOSRAU

> « *Sur mon cadavre, il y aura une assemblée de vers, qui me critiqueront encore.* »
>
> G. D'Annunzio.

Voulant définir Montherlant, Pierre Sipriot [1] nous présente huit portraits de l'auteur par lui-même, chacun mettant en relief un trait de son caractère ou un épisode de sa vie. C'est une idée ingénieuse. Effectivement Montherlant fut le sportif intransigeant des *Olympiques*; le guerrier-amateur d'art du *Songe*; le risque-tout des *Bestiaires*; le voyageur traqué par un désir de bonheur que symbolise le volier d'oiseaux sauvages traversant le ciel des *Célibataires*; puis le Guiscart cynique et jouisseur de *La Rose de Sable*; puis le Costals-Don Juan et le Costals-créateur des *Jeunes Filles*. Mais ne fut-il que cela ? Il parla aussi par la bouche du roi Ferrante fatigué de lui-même, et d'Alvaro fatigué du monde.

[1] *Montherlant par lui-même.*

Et il fut encore toutes les créatures et toutes les choses, et tous les paysages qui l'inspirèrent. Mais aucun n'est réellement, et surtout durablement, lui-même. Ils n'ont été que « des moments », tels ces nuages qui prennent parfois les contours ou l'éclat de nos pensées, et se défont comme elles. Hormis, peut-être, deux êtres qui paraissent incarner les deux phases principales de sa vie : le roi Minos (sa jeunesse) et le roi Khosrau (sa maturité).

Edmond Jaloux comparait *Le Chant de Minos* [1] aux plus vastes poèmes de notre littérature. Ce Chant est composé de versets, d'un rythme et d'une ampleur inhabituels.

Le roi Minos, étendu sur sa couche, songe à ses peuples. Il tient pressé contre lui un corps suave. Il tremble de désir, et de colère, de haine et d'amour. Toutes les passions, tous les sentiments se heurtent en lui, et brûlent. La chimère d'une fusion totale avec la femme l'obsède :

« Ah ! que ne pouvons-nous dans une étreinte nous envoler,
L'un dans l'autre, comme volent les mouches accouplées,
Emportées jusqu'aux constellations sur le dos géant de l'espace,
Comme la fleur d'églantine qu'une tortue d'eau emporte sur sa carapace ! »

Mais aussi l'âcre fumet du sang et des supplices. Rien ne peut le satisfaire. Au zénith de la volupté, il demande qui, ou quoi, enfin le comblera. Mais, soudain regardant le ciel étoilé, il s'apaise. Alors, s'élève dans son âme cette musique de tristesse :

« Au large de la nuit, il est d'étranges îles,
Pleines de rois pleurants qui lèchent leurs morsures.
Ils s'éveillent, et des pleurs coulent sur leurs visages immobiles,
A cause d'une perfidie ou d'un esclave ingrat,

[1] Dans le recueil : *Encore un Instant de Bonheur*.

De quelque chose de très ancien qu'ils pensaient
avoir oublié.
Tous nos morts remontent en nous pour y mourir
une seconde fois. »

Et il se demande quel est le sens de cet attendrissement :

« Ces heures, quelque jour, nous seront-elles comptées?
Et distinguera-t-on, sous le funèbre masque,
Le délavement doux de nos brèves bontés,
Comme on voit, quand l'aurore au ciel a éclaté,
Des perles de rosée à l'airain de nos casques ? »

Il souhaite que son âme « s'accorde avec le Tout-Puissant ». Mais l'aube vient, qui restitue aux hommes — fussent-ils des demi-dieux — « leurs faces de proie ». Et, dans un mouvement de défi, Minos maudit ceux qui l'aiment et proclame qu'il ne convoite que le Néant.

Ce masque funèbre n'est-il pas celui que Montherlant veut que l'on place sur son visage, après sa mort ? Le masque de bronze vert que portait un général romain dans les batailles... Et ce Minos tourmenté par un désir sans remède, prosterné dans la Matière et saisi par une inexplicable détresse, cherchant Dieu et niant son existence, n'est-ce pas l'auteur ? L'un et l'autre ont la même impatience de réaliser un bonheur différent des bonheurs vulgaires, d'épuiser toutes les expériences. Ce sont de furieux moissonneurs de créatures. Mais ce qu'ils veulent étreindre à travers leurs vaines conquêtes et la possession de l'Univers, il semble que ce soit leur âme. L'un et l'autre, habitent l'oasis au pied de la montagne; ils s'abreuvent à toutes les sources, ils goûtent à tous les fruits, ils vendangent toutes les vignes et soutiennent que c'est là « leur vérité », mais leurs yeux s'élèvent parfois vers la cime étincelante de neige, purifiée par tous les vents de l'infini.

L'un et l'autre ont le double visage de Janus. Ils sont ambivalents, et se réjouissent de l'être, et le regrettent.

Par la suite, Montherlant s'apaisera. Il s'acceptera. Il adoptera cette espèce de statu-quo exposé dans

Explicit Mysterium : « Il y a eu trois passions dans ma vie : la passion de l'indifférence, la passion de l'indépendance et la passion de la volupté ». Il rejette la souffrance qui ne lui procure rien que l'anéantissement de l'esprit; lui préfère le plaisir qui l'exalte. Il refuse de s'agréger à quoi que ce soit, car l'ordre dont il rêve n'existe pas, ou n'existe plus; il reste « indépendant », parce que dans la solitude réside sa force. Quant à son indifférence, elle est, plus qu'autre chose, cette notion de l'équivalence qu'exprime le tableau de Valdès Léal. Dans *La Balance et le Vers* [1], Montherlant a commenté ce tableau. « Au sommet du registre supérieur, une main stigmatisée tient une balance dont les deux plateaux s'équilibrent... Dans le plateau de droite il y a un calice, une Bible, le pain des pauvres, la bourse de l'aumône, surmontée du cœur enflammé de Jésus et des lettres IHS. Dans le plateau de gauche il y a un bouc, symbole de la luxure, un sanglier, symbole des fureurs, un paon, symbole de la fausse gloire, une belette, symbole de je ne sais quoi, et un roquet, ignoble, montrant ses dents (tout à fait « la chienne de Colomb-Béchar »), symbole de la hargne dans la bassesse et la médiocrité. Ces deux plateaux, je l'ai dit, s'équilibrent. Sur l'un est écrit : ni mos, qui signifie : « ni plus »; sur l'autre : ni menos, qui signifie : « ni moins »... Tout cela est la même chose, tout cela es igual, c'est égal, le grand mot des Espagnols... Et dépassons, bien entendu, le point de vue catholique. Il ne s'agit pas de l'équivalence entre les vertus et les vices tels que les entendent les chrétiens. Il s'agit de l'équivalence entre chaque chose et celle qui est logiquement son contraire, l'une et l'autre aimables, parce que l'une et l'autre manifestations de la vie... Ce tableau, c'est mon tableau. Et cette balance, plus encore que les cornes taurines ou la tour en flammes ou quoi que ce soit, c'est elle qui devrait être le signe de ma vie et de mon œuvre. »

[1] *Textes sous une Occupation.*

Soit. Mais sur certaine route de la vie, après l'équivalence, que rencontre-t-on ? le détachement. Et au-delà ? Ce qui est la raison d'être de la balance, cette aiguille qui pointe vers le ciel, vers la lueur lointaine du tableau espagnol, quand précisément les plateaux s'immobilisent à la même hauteur. Au-delà du détachement, il y a ce que peu d'hommes parviennent à atteindre : l'Unité de l'Esprit.

Cette montagne de l'unité vers laquelle marche Khosrau, dans *L'Assomption du Roi des Rois* [1].

Khosrau, roi des Perses, roi des rois, renonce au pouvoir, alors qu'il se trouve au faîte de la puissance. Naguère, on l'a vu pareil au roi Minos, affamé de plaisirs; il a suivi, très exactement l'itinéraire spirituel de Montherlant. Lui aussi, il a passionnément vidé la coupe et le calice : « J'ai vu et j'ai entendu tout ce qui regarde le monde, son bonheur et son malheur, secrets ou connus... ». Il a, lui aussi, habité l'oasis au pied de la montagne. Les plaisirs qui s'offraient, il les a cueillis avec cette sorte de candeur qu'avaient les hommes aux premiers âges de la terre (passion de la volupté); ils lui ont appris à aimer la vie; ils ont été son lyrisme et son repos. Il a pratiqué cette vertu d'indépendance qui préserve les grandes âmes des déchéances communes, et les incite à tirer d'elles-mêmes la force d'entreprendre. Puis il a connu l'indifférence qui montre que tout se vaut et se fond dans la mort. L'indifférence l'a conduit au détachement, porte de la sagesse. Mais Khosrau a conscience de sa faiblesse, peur de lui-même : « Je suis d'une race pleine de magie ». Alors, pour échapper à la fois aux hommes dont il est las et aux puissances détestables qui sont en lui, il prend le parti de se retirer. Il met en ordre les affaires de ses royaumes, ferme sa cour et s'en va, suivi de quelques fidèles qui seront les témoins de son assomption. Longtemps, il chemine dans une contrée aride. Et, quand il atteint le sommet de la montagne, il disparaît.

[1] *Textes sous une Occupation.*

« Qu'est-ce donc, écrit Montherlant, qui me transporte à sa suite, moi aussi, sur cette montagne, et pourquoi est-ce que, depuis des années, je volette et j'extravague autour de la lueur glaciaire qui émane de ce haut-lieu ? ».

Mais, précisément, c'est du sommet de la montagne que l'on peut voir se fondre le disparate des lignes et des couleurs jusqu'à ne former plus qu'une vaste étendue uniforme. Cette atmosphère confuse — qu'il évoque un peu plus loin [1] — où les mythes révolus et les croyances vivantes, les humains et leurs fantômes, les lumières et leurs ombres se diluent dans une sorte de brume, ce tournoiement dans le vide du oui et du non, ce tumulte immobile, ne sont-ils pas les prémices de l'extase selon les Hindous, de l'Unité ?

Or, dans une note accompagnant *Port-Royal*, Montherlant exprime sa lassitude de tout ce qui tend à la gloire immédiate, sa volonté de publier moins, de réserver une plus grande part à son œuvre posthume : « J'aime ce bruit grand et doux de conquêtes perdues que fait l'Océan quand il se retire des grèves. J'aime finir ». Tout cela n'est-il pas lié ?

Certes il ne lui sera pas nécessaire de se retirer dans les forêts, comme le font les Hindous « vers l'âge de cinquante ans », car il est sa propre forêt, son propre silence, sa propre solitude. Ni de s'en aller dans la montagne, à la suite du roi Khosrau, car c'est en lui-même qu'il découvrira — s'il ne l'a déjà découvert — le haut-lieu de la sagesse, cette unité de l'esprit qui, comme un soleil lointain, illumina sa vie et guida ses pas.

Il se peut qu'il en fasse l'aveu « à voix basse » dans ses prochains ouvrages. Peut-être nous le révèlera-t-il en quelques flamboyants « Mémoires d'Outre-Tombe », comme le témoignage d'un homme qui ne cultiva en lui rien tant que la lucidité, comme le message d'un esprit qui atteignit la pointe extrême de son vol, et s'y fixa.

[1] Voir ce passage au chapitre X (*Assomption du Roi des Rois*).

IX

ÉTHIQUE D'UN ÉCRIVAIN

Déjà en publiant ses *Carnets* nous livre-t-il beaucoup de lui-même : certainement plus que dans les livres « arrangés », c'est-à-dire obéissant aux nécessités de l'art. Ici, nous nous trouvons en face de la matière brute, du jet de métal fondu, non encore déformé par le moule, non encore passé au laminoir. D'où les aspérités, les impuretés... Car, dans ces *Carnets*, il faut bien reconnaître qu'il y a de tout, le meilleur comme le pire. Et l'on ne s'étonnera donc pas des critiques virulentes dont ce vaste ensemble a été l'objet. Rien n'a été éliminé, hormis les matériaux que l'auteur utilisa pour ses précédents ouvrages. Mais, dans cet enchevêtrement, dans ce fourmillement, de maximes, de pensées, de boutades, d'observations, de citations, de portraits incisifs, de réflexions débonnaires, d'orgueil, d'indulgence, de cruauté et de tendresse, apparaît une personnalité, transparaissent l'ampleur et la chaleur de la vie, son innocence et ses fermentations sous-jacentes.

« *A la guerre*, écrivait Montherlant (dans *L'Art et la Vie*), *il nous arrivait de croiser un cadavre de cheval, et soudain des corbeaux, qui étaient cachés dans les profondeurs de la charogne, en jaillissaient et piquaient vers le ciel. Pour l'artiste, de cette royale pourriture qu'est la vie s'élèvent toujours, non des corbeaux, mais des oiseaux de paradis. On dirait que la nature, pour compenser ce qu'il y a de terrible dans la destinée faite à l'artiste, de devoir passer un tiers, oui, un tiers de sa courte existence dans la mine obscure du travail, lui a donné, lorsqu'il remonte à la lumière, de pouvoir posséder cette vie d'une possession plus qu'humaine.* »

Ce qui frappe, de prime abord, dans ces *Carnets*, c'est une inextinguible soif de vivre. Avidement, l'auteur appréhende tout ce qui compose la vie, tout ce qui lui confère sa dignité et son mystère. Multiforme et mouvante, pure et pervertie, nette et contradictoire, telle qu'elle est il l'accepte, non telle qu'il rêve qu'elle soit.

« *Un océan*, dit-il, *dont les moralistes, les philosophes, enfin les doctrinaires de toute sorte prétendent faire le petit quadrilatère d'eau calme et classifiée qu'est un marais salant ou un parc à huîtres.* »

Acceptation — nous le verrons plus loin — non tout à fait désintéressée, puisque l'écrivain sait que de toutes fleurs il fera son miel, et que du limon commun il pétrira les formes inventées par son génie, dans lesquelles, semblable à Prométhée, il insinuera subrepticement ses propres flammèches. Acceptation de soi-même aussi, parfois, il est vrai, assez complaisante, cependant presque toujours lucide : chez Montherlant les exigences d'un esprit impérieux n'occultent jamais entièrement les besoins corporels. Montherlant se reconnaît très volontiers sensible à ce qui est délicieux ou simplement délectable. Le parfum d'une fleur, la science d'une caresse, la saveur d'un vin de choix, l plaisir d'un bon repas, l'enivrement de la force, le spectacle de la beauté, la lecture d'un livre réussi, le comblent. Il éprouve, plus que beaucoup d'autres, la satisfaction d'être en bonne santé, de pouvoir aimer, travailler, enregistrer les sensations et les traduire, avec un étonnement qui prête parfois à sourire, mais, le plus souvent, emporte la sympathie. Loin de s'enfermer en quelque tour d'ivoire, il revendique hautement sa condition d'homme. Bien plus, répétons-le, l'humanité est pour lui un bain de fraîcheur, l'iode nécessaire à son esprit de création. Je ne sais pourquoi très peu de critiques ont mis l'accent sur les sentiments altruistes qui se manifestent quasi à chaque page des *Carnets*. Il se peut que l'on n'admette pas que l'altruisme s'accompagne d'une certaine rigueur. Pourtant il est permis de juger ce que l'on aime, et même peut-on aimer davantage après un examen sévère. Tous les degrés de l'altruisme se rencontrent dans les *Carnets* : sympathie intuitive ou raisonnée, estime, confiance, camaraderie, solidarité, amitié, amour, et surtout compréhension. Montherlant observe sans cesse, mais sans cesse il tâche de comprendre : cette propension n'est pas si répandue ! D'où peut-être cette atmosphère d'optimisme que l'on veut ignorer. Certes nous sommes loin des désespérances en carton-pâte du Romantisme qui ne connaissait des hommes que ses propres imaginations, des noirceurs calculées du Naturalisme, du « ululement continu de détresse et de dégoût » de certains moralistes. Montherlant hait le cliché, le système, le mensonge social, l'hypocrisie littéraire, les mystifications et les simplifications naïves. Pour lui, l'humanité est une forêt exhubérante dont il s'efforce d'épuiser les délices et les amertumes.

« *Le gros public s'étonne toujours*, écrit-il, *qu'un homme, sur un point, puisse être extravagant, et sur tous les autres normal. Que le sadique soit d'une honnêteté scrupuleuse, que le sordide soit un exquis amateur d'art... C'est que l'être ne va pas d'une pièce, et l'âme est aussi incohérente que le corps, dont les poumons crachent le sang, par exemple, dans le même temps que les fonctions intestinales restent admirables de régularité (triste et touchante cette fidélité d'un organe parmi la trahison des autres).* »

Connaissance approfondie de la créature, dans sa physiologie, dans sa spiritualité, dans ce qu'elle recèle de pitoyable et de sublime, et qui le conduit — voilà ce qui est à retenir — à « une indulgence accrue » et à « une admiration accrue ».

Quand il parle de l'état d'écrivain, même objectivité, même sévérité teintée d'humour, et même optimisme. Certes, il ne résiste guère au plaisir de « faire des mots ». Par malheur, ce sont les boutades que l'on retient. Nombre de confrères ne peuvent avaler des couleuvres de cette taille : « *Les critiques littéraires, à mon propos, me font penser à ce gag de cinéma où les uns et les autres se battent prétendûment autour d'un type, pour et contre lui, tandis que lui s'est dégagé en douce de la bagarre* ». On ne s'étonnera pas que ce petit morceau ait été exploité, et d'abondance ! Pourtant on se demande pourquoi on a passé sous silence ce jugement sur les critiques, autrement sérieux : « *Les créateurs littéraires aiment de présenter les critiques littéraires comme des parasites des créateurs. Mais les créateurs, de qui les œuvres se nourrissent, croissent et prospèrent dans la renommée par les études que leur consacrent les critiques, alors que ces études seront bientôt oubliées, les créateurs ne sont-ils pas eux aussi, en quelque mesure, les parasites des critiques ? En d'autres termes, le critique qui meurt ne laissant rien, parce que sa substance a passé dans la renommée des créateurs, est-ce lui le parasite ?* » Cet exemple est éloquent; il montre que l'on peut faire dire ce qu'on veut aux *Carnets*, mais aussi qu'il est malaisé d'en discerner les constantes.

La diversité des opinions données sur ce livre n'a point surpris l'auteur. « *Malheur à celui qui ne tient pas à être aimé* » a-t-il écrit. Mais aussi, et qui va plus loin : « *Absolue nécessité d'une atmosphère de calomnie autour de soi, pour que derrière ce nuage on puisse mieux être ignoré dans son essence* ».

Il réclame pour l'écrivain une équitable distribution

d'éloges et de blâmes. Il souhaite qu'il ait à lutter, afin de ne pas s'endormir sur de vains lauriers. Et, avant tout, qu'il ne se sépare jamais des autres hommes, mais plonge au plus épais de la masse pour que le sort commun ne lui soit pas épargné. Bien plus, il lui paraît utile qu'il éprouve dans sa personne l'injustice sociale et subisse l'épreuve d'un drame où son existence soit engagée, voire gravement menacée. Mais il précise — et cela est important — que l'écrivain, en tout état de cause, ne saurait être pleinement heureux, ni pleinement malheureux, car il est écrivain et donc a le privilège de transmuer en écritures ses instants de bonheur et ses instants de malheur. N'est-ce pas en tenant la place d'une bourrique attelée à sa noria que Cervantès imagina les aventures de *Don Quichotte* ? Sous les coups de fouet, il se faisait rire ! Troublante joie de l'écrivain, qui tantôt a le visage du plus monstrueux des égoïsmes et tantôt celui d'un admirable courage, et qui s'éteint avec la vie. Montherlant rappelle que Tolstoï et Gœthe moururent en traçant des signes, « magnifiquement ».

Force de la nature, l'écrivain doit donc s'incorporer à celle-ci de tout son pouvoir, ce qui n'exclut pas le discernement : n'est-il rien de plus proche de la création littéraire que ces mystérieuses et savantes maturations végétales où la nature choisit les éléments les plus disparates, les assemble et réalise, avec patience et finesse, quelque merveille apparemment inexplicable ?

*
* *

On pourrait tirer des *Carnets* un « portrait » de Montherlant. Il ne serait pas tout à fait ressemblant, puisque les *Carnets* (publiés) s'arrêtent à 1944. Au surplus, comme on l'a noté plus haut, une évolution dans le sens de l'approfondissement et de l'apaisement, est perceptible.

Mais, outre que les *Carnets* constituent une mine d'une exceptionnelle richesse, ils nous montrent que l'œuvre entière de Montherlant fut écrite — comme *La Divine Comédie* — « *ma son qui meco, col sangue suo e con le suo guinture... e son col corpo ch'i'no sempre avuto* », c'est-à-dire avec tout son moi, son sang et ses jointures, avec le corps qu'il a toujours eu. Qui consent un tel don est assuré d'être placé parmi les plus grands.

X

TEXTES CHOISIS DE MONTHERLANT

Les textes qui suivent sont publiés avec l'autorisation des Éditions Gallimard qui voudront bien trouver ici l'expression de notre vive gratitude.

ABERYSTWYTH
LIBRARY
U.C.W.

CHANT FUNÈBRE POUR LES MORTS DE VERDUN

L'auteur, qui fut de 1920 *à* 1924 *secrétaire général de l'œuvre destinée à construire l'Ossuaire de Douaumont, revient en pélerinage, en* 1923, *sur le champ de bataille de Verdun.*

Pendant une heure, peut-être, j'ai marché dans la nuit. L'antique nuit qui leur détruisait l'âme, faisait d'eux (*les combattants*) de pauvres chiens frissonnants. Quel exil ! Quelle punition ! Qu'ils étaient loin de la main divine ! Jusqu'où pourra-t-on pousser la détresse de l'homme après ce qu'elle a été ici ? La lune était éclatante et sous elle était réapparu, par le jeu des clairs et des ombres, le bossellement infini du champ de bataille, sculpté comme par une danse de tueurs merveilleux. Quelques étoiles étaient posées aux mêmes endroits où ils les avaient vues. Le frêle tapage des grillons et des oiseaux s'était changé en coassements de grenouilles, au fond des entonnoirs où l'eau demeure; tout un petit peuple appelait à bas bruit, occupé dans de mystérieuses agonies. Très loin dans l'ombre, les croix du cimetière de Fleury se rejoignaient en une pâleur de suaire. A l'opposé, vers Charny, des feux brûlaient comme des âmes.

Ces dunes, cet air, et, ma foi, cette étoile vacillante, c'est mon pays. Un instant j'en ai été le défenseur; j'ai été le bouche-trou. Nous avons des choses à nous dire. Je regarde ce grand corps pas heureux avec une effusion qui ne finira jamais.

Solitude tout extraordinaire. La seule qui ne nous aide pas à nous croire le centre du monde. Dans la main le vieux bâton de tant de peines, dans la poitrine le vieux cœur de guerre inchangé, j'ai marché, j'ai marché, j'ai erré, je me suis abusé. O mon Dieu ! ceux qui étaient là, n'ai-je pas eu dix fois la tentation de m'arrêter et de m'étendre pour ne plus les quitter jamais? Ces camarades lointains ne me faisaient pas peur.

Dérision ! ne disais-je pas à l'un d'eux : « Je saurai bien te protéger contre la mort », comme un père à son fils endormi ? Cependant je revenais. Petite lampe sur l'autel du sacrifice, luisait encore la fenêtre de l'ossuaire où bientôt j'allais rentrer, où bientôt j'allais être secoué par les hauts vents comme au milieu de la mer, mais protégé contre tout péril par trois cents cercueils d'ossements, jusqu'aux deux heures quand les folles alouettes, trompées par la lune, se mettraient à chanter la résurrection. C'est alors que le bruit d'une eau courante m'arrêta.

... ...
... ...

D'autre part, faire la paix n'est pas suffisant. Il faut faire une paix qui ait la grandeur d'âme de la guerre. Il ne faut plus que l'homme, quand il recherche en quoi il a été homme, songe d'abord à la guerre. Il n'est pas admissible que ce que sonnaient les cloches, ce 11 novembre, à onze heures du matin, ç'ait été pour beaucoup le glas de la vie grande.

Il y a une phrase effrayante de Kipling : « Tous les jeunes gens écrivent de même au sujet de la guerre. Elle satisfait complètement tous leurs désirs ». Un garçon, mon cadet, m'a dit : « La paix, ce n'est pas vivre ». — « Eh bien, les vertus nées de la guerre, ingénie-toi à les faire naître de la paix ». — « Non, c'est la mort qui agrandit tout ». (« Et la nécessité », eût-il dû ajouter). — « O garçon ! garçon ! Est-ce qu'il faut donc que tu meures, pour vivre ? » — « C'est possible », dit-il, les yeux au loin. — « Soit, cela te regarde. Mais eux, les non-consentants, ceux qui ne veulent pas mourir, faut-il qu'*eux* meurent, pour que *tu* vives ? Rougis plutôt de la vie que tu achètes à ce prix-là. L'héroïsme fleurit sur le bateau qui sombre. Pourtant nous faisons l'impossible pour que les bateaux ne sombrent pas. Admettre la guerre parce qu'elle suscite en toi de la vertu, c'est épargner la vipère pour l'ivresse morale de sucer la plaie qu'elle fera. N'appelle pas amour des hommes ce monstrueux amour de soi ».

« La paix, ce n'est pas vivre ». J'ai entendu cela. Et demain, peut-être, dans la bouche de mon fils. Et peut-être ne saurai-je plus si je dois le gifler ou l'étreindre, et cette incertitude nous arrête chaque jour devant des actes qu'en conscience nous ne nous sentons pas prêts à juger, et qu'enfin nous condamnons ou célébrons, selon l'humeur du moment, parce qu'il est dans les convenances sociales de prendre parti. Mais que vient-on, toujours plein d'antagonismes factices, colérer contre les « vieillards » responsables de la guerre ! Ne sait-on pas comment en 1924 les adolescents en acceptent l'idée, la trouvent naturelle, et que, s'il arrive aux « vieillards » de couver la guerre par intérêt ou routine, les adolescents la font lever, sourdement, par amour ? Jeunesse à la face nouée, si inculte en souffrance, toujours gagnant à la main, et odieuse, et si belle !

La médecine moderne croit qu'il vaut mieux diriger une maladie, que tenter de la détruire. Si on veut supprimer la guerre, il faut donner aux hommes de cœur, et notamment aux jeunes gens, quelque chose de même valeur qu'elle. « Né fier, ambitieux, et se portant bien comme il faisait, Jules César ne pouvait mieux employer son temps qu'à conquérir le monde » (La Bruyère). Justement ! il ne faut pas que le fait de se porter bien, d'âme et de corps, n'ait d'autre issue que les bombes et le lance-flammes.

Il faut que la paix, ce soit « vivre », qu'elle ne soit pas une dévitalisation. Il faut ramener dans la paix les vertus de la guerre. Il faut vaincre sa paresse, et quelquefois vaincre sa crainte, pour apprendre à les y trouver. Lutter contre la facilité de la vie, aussi commune que sa difficulté, contre sa tendance à se satisfaire de peu, la tisonner, car elle ne cherche qu'à s'éteindre, l'attiser en soufflant dessus la menace, pousser la paix jusqu'à l'intensité morale de la guerre; qu'elle aille, cette paix, nous chercher dans nos profondeurs, elle dont les tâches sont souvent plus complexes que celles de la guerre, c'est-à-dire, en un sens, plus méritoires. Tirer d'elle toutes les raisons d'aimer, de risquer, de souffrir, d'avoir peur pour soi et pour les autres, d'être mis à l'épreuve. Ne pas subsister en n'employant qu'une partie des possibilités humaines, en faisant tout juste ce qu'il faut pour cela, comme l'hirondelle, pour soutenir son vol, ne donne qu'un léger, qu'un intermittent battement d'ailes; mais, étant hommes, employer à fond l'humain. Faire rentrer le corps dans le rythme des jours. Lui demander l'énergie, l'ingénuité, la vitesse de la vie, les rudes accolades avec la nature, qu'on n'épouse que dans un combat. « La liberté, c'est le courage » : c'est dans un autre chant funèbre qu'on l'a dit. J'appelle une paix où nous provoquerons, systématiquement, toutes les occasions du courage et de l'oubli de soi.

Cette paix-là sera autre chose que l'absence de guerre. Elle aussi, elle parlera aux imaginations et aux cœurs. Elle suffira à cette faim d'héroïsme qui fait venir les larmes aux yeux.

(1924 dans *Mors et Vita*).

LES OLYMPIQUES

A UNE JEUNE FILLE VICTORIEUSE DANS LA COURSE DE MILLE MÈTRES

Laissez-moi vous regarder sans parole, jusqu'à temps que mon front s'abaisse,
Victoire qui aviez pour ailes l'amour de quinze mille hommes debout !
Dès l'instant qu'à deux cents mètres du poteau la course avec certitude fut pour vous,
Notre clameur, comme une eau qui sourd, par en-dessous vous a soulevée.

Vous étiez portée dans des bras deux cents mètres avant l'arrivée.
Et puis pâle, arquée en arrière par un extraordinaire arrachement,
A la fin l'imploration des bras et le fil entre les dents,
Et moi mon programme dans ma bouche pour pouvoir battre des mains à l'aise !
O valeur ! O meilleure que les autres ! O merveille que vous soyez Française,
Quand les Suédoises avaient abandonné, quand les Américaines perdaient l'air,
Quand la Tchèque était hors de course et l'Anglaise un demi-tour derrière,
Et soudain les quinze mille gouailleurs à cause de vous se sentaient de France !
Mon cœur presse si fort ma poitrine que je suis obligé de faire silence.

Fleur de santé ! Fraîche et chaude ! Fine et forte ! Douce et dure !
Exacte et pas falsifiée et telle que sortie du ventre de Nature,
Égale à moi et plus peut-être, si j'en crois je ne sais quelle émotion,
Je songe que je pourrais vous dire : « Ma maison sera ta maison ».
L'engendré pour le devoir naîtrait du sang du sacrifice.
Dans le sein de la force des mères est assise la force des fils.
O délivrance, enfin je trouve celle qu'on peut ne pas dédaigner !
Qu'ai-je à faire avec ce qui se traîne et comment pourrais-je l'aimer ?
Dans mes bras, Française ! Dans mes bras, la coupeuse de vent !
Celle qui veut, celle qui dure, celle qui conçoit, celle qui va devant,
La vierge aux épaules porteuses et qui vole sans transpirer !

Dans mes bras, foulée de deux mètres, et les quatre
litres de capacité vitale !
Mais n'aurais-je pas soudain la sensation d'être un
vandale ?

Partez donc, ma belle fille, honneur de la chose créée,
Celle qui ne veut pas le nom de bien-aimée mais de
bien-admirée.
Je ne ferai pas battre ces cils. Je ne dénuderai pas ce
front.
Je ne troublerai pas cette eau que de moins dignes un
jour troubleront.
J'ai eu votre forme tout près de moi. J'ai été pris dans
votre parfum.
J'ai senti votre voix me presser comme une petite main.
Je connais déjà trop de vous puisque je le connais en
vain.
Il est d'autres fleurs par le monde que je puis sans re-
mords faner.
Que la pointe de votre soulier touche la pointe de mon
soulier.
Que je regarde une fois encore frémir ce pli sur votre
cheville.
Et puis, je reprendrai ma route, emportant dans ce cœur
Clos, qui fraîchit au creux de moi comme un lac intérieur,
L'antique et vierge étonnement du barbare devant la
petite fille.

Sur des souliers de foot

Ce court poème nécessite une explication. Les équipiers d'une équipe de football déjeunent sur l'herbe, entre l'entraînement matinal et la partie de l'après-midi. La scène se passe au terrain de la Faisanderie, appartenant au Stade Français, où un monument, qui représente un génie funèbre, est élevé à la mémoire des membres du club tués pendant la guerre de 1914-1918. *Ce monument est déjà évoqué ailleurs dans* Les Olympiques.

Gros souliers, base de la jeune jambe, cuir de vache à peine dégrossi,
Seule épaisseur sur ce corps qui n'a contact que de légèretés,
Je vous tire du sac en pagaye où vous dormiez sous la culotte salie :
Sifflets de l'arbitre dans l'air coupant, terrain qui claque... je tire tout l'hiver.
Entre mes mains, outils de la victoire, vus de si près, un peu diminués,
Inertes, vous qui voliez, frappiez, vivants et sous les ordres de l'esprit,
A la fois durs et enfantins, grands et petits, grands et petits,
Tels lui-même qui sait bien les larmes à ses yeux bridés de petit condottière !
Encore poisseux de bonne huile, encore croûtés de paquets de terre,
Force fumante avec votre odeur d'algue, votre élégance faite de brutalité,
Avec votre poids, vos écorchures, votre cuivrage, votre mystère,
Vous êtes aussi nobles que cette terre et la vie ne vous a pas quittés.
La cheville vous a fait une rondeur tendue comme l'*umbo* du bouclier,
Le cou-de-pied vous a infléchis, vous êtes moulés à un unique exemplaire.
Il me semble que, sans le savoir, je reconnaîtrais à qui vous appartenez.
Ma main sur votre contrefort est pleine de respect et de douceur.
Je suis pénétré d'une telle émotion que je me sens brûlé jusqu'au fond du cœur.

Le poète pense a un repas sacré

« Donne-moi un morceau de ton pain », me dit notre
capitaine.
Je tressaillis de gravité. Je rompis le tendre pain.
Nous venions de combattre et nous allions combattre
au-devant des buts en bois de frêne,
Et le génie des joueurs tués, sous le tertre, était notre
gardien.

Aucun homme du club étranger ne profanait la libation.
Le plus vieux de nous avait vingt-cinq ans, le plus
jeune en avait seize.
Plus jeune encore, plus fol, plus saint, le feu jouait dans
la fournaise.
O feu, éternellement pur, sois propice aux chastes
garçons !
Mon chien posait, coulait sa tête le long de mes genoux
en nage.
Et puis, avec un amour triste, il soupirait vers mon visage.
Des mottes collées à nos souliers montait une âcre odeur
de terre.

Quand nous rompîmes ce premier pain, nul pacte
ne fut exprimé.
Mais je dis : « Béni soit ce pain que le sang des nôtres
a peut-être fait germer ».
Puis tous, nous étendîmes les mains vers les mets offerts.

SERVICE INUTILE

Dans la préface de Service Inutile, *écrite en* 1934, *l'auteur jette un regard en arrière sur les quinze années écoulées de sa vie d'écrivain. Voici deux extraits de cette préface.*

En somme, qu'ai-je fait ? J'ai vécu, je me suis fait plaisir, j'ai fait plaisir à ceux que j'aime, et aux autres beaucoup moins de mal qu'il ne m'était facile de leur en faire. J'ai été moi-même, quand le monde nous menace : « On ne te pardonnera que si tu mens ». « C'est une absolue perfection, et comme divine, écrit Montaigne, que de savoir jouir loyalement de son être ». J'ai vu les choses telles qu'elles sont. J'ai travaillé en pleine pâte, dans une vie où rien ne sonnait le creux, toute chaude d'aventures. J'ai donné, avec mes fruits bons, des fruits véreux et des feuilles mortes, ce qui est la nature même. Que la divinité, si elle existe, trouve son bien dans tout cela : il y est. Qu'aurais-je dû faire d'autre ? Aurais-je dû jouer un personnage ? Aurais-je dû renoncer à ce que je faisais convenablement, parce que je le faisais spontanément, pour me peiner à faire mal ce qui n'était pas de mon ressort ? Aurais-je dû n'être pas heureux, et n'être pas heureux en vain ? J'ai été comme un cours d'eau non capté, qui ne fait pas tourner de moulins, qui ne fait pas marcher d'usines, mais les enfants s'y baignent et les bêtes y boivent, et il aura rempli vaille que vaille sa petite tâche sur la terre, à supposer que les ruisseaux et les hommes aient des tâches à remplir, supposition très saugrenue et ridicule à mes yeux.

... ...
... ...

Toute difficulté des temps n'est jamais qu'une loi de la nature. L'insanité de la guerre est plus effrayante pour la chair que celle de la paix; elle n'est pas plus effrayante pour l'esprit : tout cela se vaut. Un peuple qui vit sous la menace de son voisin, des gouvernants qui trahissent, la guerre civile, cela s'est vu toujours. Les événements qui nous attendent ne sortent pas du domaine classique, et la pensée que l'humanité les ressasse depuis le premier sourire du monde doit nous apprendre à être raisonnables et à les accueillir avec ranquillité.

Au surplus, rien de tout cela ne touche à une certaine part de nous-mêmes, qui est notre part essentielle, ni ne peut troubler une certaine paix de nous-mêmes, la paix qui est au-delà de toute intelligence et de tout amour. Si je fais un effort de volonté, je me vois ou crois me voir en tel point du temps et de l'espace, et je me crée le devoir de prendre ma part des vivacités de mes contemporains. Mais toute notre condescendance aux choses extérieures ne peut faire que nous ne nous posions la question : Ce devoir est-il fondé ? Où est la réalité ? Comment concilier la vie contemplative et la vie civile ? Comment faire loyalement les gestes d'appartenir — comment appartenir — quand on n'appartient pas ? Les événements qui s'annoncent, l'homme matériel qui est en moi les regarde par le petit bout de la lorgnette, puis l'homme spirituel par le grand; tantôt ils m'apparaissent plus gros qu'ils ne sont, et tantôt minuscules, infiniment éloignés. Mais cela ne peut se faire à la fois ! Allons-nous retomber dans les pis-aller de l'alternance ? Les jours pairs du mois prendre le point de vue des contingences, et les jours impairs le point de vue de l'éternel ? Ces contradictions successives peuvent-elles, comme celles de certains courants électriques, nous donner l'illusion du continu ? Et si oui, cette illusion peut-elle nous suffire ?

A chaque âge de notre vie son problème particulier. Successivement ces problèmes se résolvent, et nous passons à d'autres. « Se » résolvent est le mot; on n'a pas l'impression que ce soit nous qui les ayons résolus; ils semblent s'être résolus d'eux-mêmes; un jour nous nous apercevons que notre sang ne les irrigue plus, que ce sont pour nous des problèmes morts. « Pour nous » : car je pense qu'aucun problème n'est jamais résolu. Ils nous apparaissent alors proprement incompréhensibles. Adolescent, ils se posèrent à moi tous ensemble, selon la loi de cet âge. Combattant, ils se simplifièrent à l'extrême : comment faire un peu plus que son devoir, et en même temps n'être pas massacré ?

Puis, « voyageur traqué », tout disparut dans le problème du bonheur, qui finit par se résumer dans cette incertitude : faut-il réaliser, ou non ? Puis le problème du bonheur devint cadavre à son tour, et ma nouvelle gêne fut le problème de l'art et de la vie : comment les accorder ? Comment n'être pas enragé de ne pas vivre, aux heures où l'on vit ? Dilemne quotidien, et que la fatigue, la vieillesse, ou la maladie, en nous interdisant de vivre, peut seule résoudre. Puis, en Afrique, je trouvai face à face, sans parvenir à les concilier, le devoir envers la patrie et le devoir envers l'individu. Et présentement enfin se lève en moi ce nouveau conflit, entre la patrie encore, celle où le sort nous a fait naître, et l'autre patrie, la patrie intérieure, celle qu'à nous-mêmes nous nous sommes créée.

L'action et la non-action se rejoindront dans l'éternité, et elles s'y étreindront éternellement. Mais qui du présent ? Le moine-soldat ! C'est autour de cette figure un peu déroutante que tourne aujourd'hui ma pensée, dans la mesure où je pense. Soldat, il dresse l'action. Moine, il la sape. *Ædificabo et destruam* : je construirai, et ensuite je détruirai ce que j'ai construit. Une épigraphe pour ce livre. Une épigraphe pour ma vie.

LES JEUNES FILLES

PIERRE COSTALS
Toulouse
à
SOLANGE DANDILLOT
Paris

20 juillet 1927.

Paix, ma fille. Paix, paix, paix sans fin aux petites filles. Qu'est-ce que ces égarements ? Un artichaut est toujours de sang froid.

Vous me demandez la sécurité : je vous la donne. Paix, ma petite fille chérie. Paix dans le présent. Paix dans l'avenir, aussi loin qu'il vous plaise de me vouloir dans cet avenir. Paix totale et absolue. Enjouement et liberté d'esprit dans la confiance et dans la paix.

Je vous ai tenue sur mon cœur, au sommet de ma solitude, et vous y étiez seule vous aussi, entourée cependant. Vous pouvez rester là aussi longtemps que vous le voudrez, je ne me retirerai pas. Je vous aime, et, chose plus rare, j'aime l'attachement que vous avez pour moi. Je ne vous quitterai pas, que vous ne m'ayez quitté.

J'ai entendu dire qu'une femme, dans la situation où vous êtes, on doit la mettre à l'épreuve. Je ne mets pas à l'épreuve ce que j'aime.

J'ai entendu dire qu'on perd une femme pour la trop aimer, qu'une froideur affectée, de temps à autre, réussit mieux. Et cœtera. Je ne jouerai pas ces jeux avec vous. Aucun jeu. Je ne suis pas de ceux qui considèrent que l'amour est une guerre; c'est une conception dont j'ai horreur. Que l'amour soit vraiment amour, c'est-à-dire qu'il soit paix, ou qu'il ne soit pas.

Pourquoi cette crainte de mon absence ? Qu'est-ce que ma présence vous apporterait de plus ? Vous êtes là, bêtasse, ne le savez-vous pas ? Le jour, comme une petite ombre, vous vous glissez bien sagement à mes côtés. Chaque soir je m'endors avec vous dans mes bras.

Et mon corps lui aussi pense à vous. Il se réveille la nuit et il se tend vers vous, comme un chien qui tend le cou pour qu'on lui donne à boire.

J'ai voulu suivre l'ordre de vos préoccupations, tel qu'il apparaît dans votre lettre. Je vous ai parlé d'abord de vous et de moi. Maintenant, un mot de votre père.

Je ne sais pas si vous aimiez votre père, mais moi je l'ai vu deux fois, et je l'aimais. Je ne sais pas si vous respectiez votre père, mais moi je l'ai vu deux fois, et je le respectais. J'ai eu l'impression qu'il était quelqu'un de supérieur à vous.

Vous ne pensez qu'à moi, et vous me connaissez à peine. La façon désinvolte dont vous parlez de la mort de votre père, dans votre lettre, m'a outré, encore que je la comprenne; exactement : je la comprends et j'en suis outré. C'est entendu, vous êtes « éprise ». Mais sachez que l'amour n'est pas une excuse, mais une aggravation. Tout à fait comme l'ivresse, que l'insane justice des hommes tient pour une circonstance atténuante, et qui est une circonstance aggravante.

Est-ce qu'il faudra que ce soit moi qui vous fasse comprendre ce qu'il y avait dans votre père ?

Je veux que vous soyez ce que vous devez être. Et vous ne devez pas être *tout à fait* celle qui a écrit votre dernière lettre.

Allons, je vous embrasse, ma petite fille. D'autres hommes vous aimeront peut-être plus que moi. Moi, je vous aime autant que je peux vous aimer. Je ne peux pas davantage.

C.

La ponctuation de votre lettre n'est pas défendable.

L'ASSOMPTION DU ROI DES ROIS

Le texte suivant, écrit en janvier 1942, *n'est pas seulement une préfiguration de sentiments que l'auteur devait exprimer en son nom propre une douzaine d'années plus tard. Il est aussi une première esquisse du personnage du roi Ferrante de* La Reine Morte, *dont H. de Montherlant commençait les « préparations » à ce moment-là.*

Le *Châh Nâmeh* (Le Livre des Rois) fut écrit au XIe siècle par le Persan Firdousi. En cent mille vers, il raconte la lutte des Iraniens et des Touraniens : c'est l'*Iliade* de l'Iran. On y voit « des armées innombrables qui tourbillonnent et s'effacent comme des rêves » : Gobineau, esprit remarquable, mais peu doué comme écrivain, a écrit par miracle cette phrase grandiose. Je ne me suis pas donné la peine de rechercher le motif de cette guerre, convaincu qu'il était futile ou sordide. D'ailleurs, dans l'ordre historique, les faits importent moins que la sauce à laquelle les arrangera la postérité.

Un épisode domine le poème. Gorgé de puissance et de bonheur, Khosrau, roi de Perse, « Roi des Rois », renonce au pouvoir. Il renonce comme Sylla, comme Dioclétien, comme Charles-Quint. Il renonce comme les rois hindous, comme les chefs mérovingiens, comme les shoguns japonais : les peuples héroïques ont toujours senti la gloire et les mérites (et je tais, par pudeur, les avantages) qu'on s'acquiert à faire valoir l'une par l'autre la possession et la dépossession, la jouissance et l'ascétisme. J'ai déjà écrit sur ces retraites, et la crainte de me répéter va me contenir en mon propos, où il m'eût été agréable de me déborder tout mon saoul.

Khosrau, donc, pour renoncer solennellement, a réuni sa cour. Je ne saurais imaginer la scène, qui est antérieure au VIIe siècle avant l'ère — Rome va naître... — sans la rajeunir d'un rien, une quinzaine de siècles, et l'habiller à la mauresque, comme firent plus tard les miniaturistes de la période islamique. Le roi est assis sur un trône d'or, dans la dextre une massue à tête de taureau. Quel âge a-t-il ? (Cela est important). On nous dit qu'il eut soixante ans de règne; mettez qu'il ait ceint la couronne à vingt ans. Autour de lui, c'est l'assemblée héroïque : pas une femme, rien que des hommes, flanqués des jouvenceaux de guerre, « délices de l'armée ». Héros barbus ou moustachus à la Staline, et puis les imberbes, de qui les « anglaises » pendent par devant l'oreille; tous avec leurs arcs, leurs flèches, leurs sabres, leurs rondaches, leurs turbans, ou bien leurs casques pointus à la mongole, leurs masques de lion ou de taureau; et les cheveaux à visages d'hippocampes, d'ailleurs bardés d'écailles comme des poissons, chevaux aux barbes blanches (qui sont les queues de leurs congénères suspendues à leurs mentons); enfin, ceinturés de pierreries, quelques éléphants blancs. Tout ce monde en couleurs d'un éclat diabolique. Et que dominent — dans une autre sphère — trois ou quatre recluses, aux fenêtres du sérail : de jeunes vivantes avec des mentonnières de mortes, à la hauteur des oriflammes qui se dégognent dans le vent.

Khosrau parle dans le ton royal (j'imagine un orgue qui comporterait le registre « ton royal », comme il y a le registre *vox cælestis*, etc...). Et il dit de grandes choses simples. Ces héros, ces rois, ces princes, comment ne me toucheraient-ils pas, puisqu'ils sont tous moi-même ? Minos, c'est moi. Et Pasiphaé. Et Khosrau. Ils ne sont pas ce que je suis en rêve, mais ce que je suis en réalité : leur être est le mien. Je suis aussi les bêtes merveilleuses que j'ai fait beugler et mourir, ou frapper le sol de leurs queues.

— Partout, dans tous les pays habités, depuis l'Inde et la Chine jusqu'au Roum, depuis l'Occident jusqu'aux limites de l'Orient, dans les montagnes et les déserts, sur la terre et sur les mers, partout j'ai détruit mes ennemis, partout je suis maître et roi, et le monde n'a plus à craindre les méchants. Dieu m'a donné tout ce que je désirais, bien que mon cœur tout entier n'ait été dévoué qu'à la vengeance. Personne ne peut acquérir un nom plus grand, mieux satisfaire ses désirs, avoir plus de pouvoir, de bonheur, de repos et de dignité que moi. J'ai vu et j'ai entendu tout ce qui regarde le monde, son bonheur et son malheur, secrets ou connus...

Ainsi parle Khosrau. J'aime les hommes quand ils reconnaissent qu'ils sont comblés. Ils font alors un chant ample et dense qui épouse toute leur poitrine, qui la comble, elle aussi. Je connais bien ce chant, l'ayant maintes fois répandu.

— Mais mon esprit n'est pas assuré contre mes passions, il pense au mal et à la foi d'Ahriman. Je deviendrai méchant comme Zohak et Djemchid (...) Je suis de la race de Tourane, pleine de magie. Comme Kaous et comme Afrasyab le magicien, qui ne voyait, même en rêve, que du sang et de la fraude, je deviendrai un jour infidèle à Dieu, et la terreur envahira mon esprit serein, la grâce de Dieu me quittera, je m'adonnerai à l'injustice et à la folie; enfin je m'avancerai dans les ténèbres jusqu'à ce que ma tête et ma couronne tombent dans la poussière, et il ne me restera qu'un mauvais renom dans le monde et qu'une mauvaise fin devant Dieu.

Paroles shakespeariennes : « Je suis d'une race pleine de magie... », et cette évocation du magicien sanglant. Le roi a peur lui-même. (Il appartient à ce peuple qui, le premier, dit-on, différencia le bien et le mal : fâcheuse simplification.) Dans un autre livre, le *Koush Nâmeh*, Khosrau est identifié à un héros du nom de Koush, dont Gobineau a dit : « Son orgueil n'avait jamais cessé d'être délirant. Il se croyait Dieu, et, bien qu'il n'eût pas favorisé ouvertement l'idolâtrie, en fait il n'avait d'autre culte que lui-même ». Peut-être est-ce cette part de soi dont Khosrau craint surtout les retours.

Et puis, il est las. « Je suis las de mon armée, de mon trône, de ma couronne; je suis impatient de partir et j'ai fait mes bagages (...). C'est mon âme qui est épuisée et mon cœur qui est vide ». Admirable manque de pose de ces hommes anciens. Jamais le *proprium quid* de la vieillesse ne fut confessé avec plus de simplicité, ni mieux défini, que par le monarque « au visage de soleil ». Avec autant de naturel, plus tard, dans un vers d'un autre poème, Firdousi avouera : « Mon cœur est fatigué du héros Féridoun » (un des personnages de son poème).

Nous connaissons cela, n'est-ce pas ?, nous autres vieux mâles du troupeau. La fête brillante de l'assemblée, Khosrau ne la voit plus; il est devenu aveugle au monde extérieur, qui nous ennuie follement, passé un certain âge. Resterait le monde des âmes, mais les âmes se ressemblent par trop : quand on en connaît une, on les connaît toutes. Et les êtres, les croyances, les enthousiasmes, les ambitions qui nous possédèrent, après avoir « tourbillonné », à l'instar des armées, « se sont effacés comme des rêves ». Nous savons ce que Khosrau a dit. Mais d'autres phrases, qu'il a dû prononcer tout bas, nous les trouvons en nous : elles sont nôtres. « Spectacles de la terre, j'en ai assez de vous ». Et encore : « Je n'ai pas plus besoin qu'on m'admire, que je n'ai besoin qu'on m'aime ». Et encore : « Que j'aie bien fait ce que j'avais à faire, cela aussi m'est devenu indifférent ». « C'est mon âme qui est épuisée et mon cœur qui est vide ». Eh bien, puisque, précisément, l'heure est venue de partir, la nature n'a-t-elle pas bien fait les choses ?

Bref, après quelques lieux communs sur la vanité de ce monde, et quelque « banalité moralisante » (Darmesteter) qui, dans la bouche d'un chef d'Etat, n'a pas plus d'importance que dans la bouche d'un prêtre, Khosrau conclut : « Il vaut mieux que je m'empresse de paraître devant Dieu avant que ma gloire s'évanouisse ».

Le roi veut partir en beauté. Il échange le peu d'années qui lui reste à vivre — années dangereuses, et années lourdes — contre l'intégrité de sa gloire humaine et de sa gloire éternelle. C'est un marché, mais que son style personnel va splendidement agrandir.

Alors il ordonne de renvoyer tous ceux qui se présenteraient à la cour, et ferme la cour. Il revêt une robe blanche et neuve, et prie dans son oratoire. Il reste ainsi sept jours et sept nuits. « Son corps était là mais son âme était autre part ».

Nous voici loin, n'est-ce pas ? de la confiture à la rose et de l'Omar Khayyam arrangé pour esthètes américains. Cette prière dans l'oratoire, cette robe blanche, cette veillée debout, de sept jours et sept nuits, tout cela, c'est un souvenir du zoroastrisme, mais n'est-ce pas aussi, et dans son détail même, notre chevalerie ?

Cependant les grands, ne comprenant pas la conduite de Khosrau, s'inquiètent et murmurent, comme demain les disciples autour de Jésus. C'est l'éternel renversement des valeurs : tandis qu'il monte au faîte de soi-même, ils croient qu'il veut s'associer aux mauvais génies, aux divs. Lui, il leur répond : « Le temps venu, je ferai sortir la clameur qui est cachée en moi ».

Il prie. « J'ai fait beaucoup de bien et beaucoup de mal. Accorde-moi cependant une place dans le paradis ». Si cet homme comblé avait cru qu'il allait cesser d'être absolument, quel pathétique et quelle grandeur n'aurait pas sa démission ! Mais quand il veut, de surcroît, être comblé sans fin, est-ce qu'il ne vous gêne pas un peu ?

C'est au milieu de ces effusions mystiques que Firdousi dit la parole admirable, la parole nécessaire : « Son âme, qui avait toujours l'intelligence pour compagne ». Si Khosrau est Cyrus, comme le veulent certains érudits, il faut la rapprocher de celle qu'Eschyle fait prononcer à un personnage des *Perses* : « Il (Cyrus) fut toujours aimé des dieux, parce qu'il était plein de raison ». Je ne saurais dire à quel point je suis touché par ces deux phrases.

Dans une vision, Khosrau entrevoit sa fin prochaine. Et — comme Jésus, encore — il pleure. Toujours ce naturel des héros anciens. Grecs et Romains, les héros pleurent. Dans nos chansons de geste, plus encore : c'est un vrai château d'eau; et ils « pâment », comme les héros arabes. Charles-Quint, durant la cérémonie de son abdication, pleure

Khosrau distribue ses trésors et ses biens, désigne son successeur. Toujours le naturel : « Quand les affaires des grands furent arrangées, le Roi des Rois était malade de fatigue ». C'est cela, les hautes tâches ne le fatiguent pas; qu'il reste debout en prière sept jours et sept nuits, à quatre-vingts ans, Firdousi ne fera pas mention de sa fatigue. Mais les complications matérielles l'épuisent. Tout moribond hâte son trépas à élaborer un testament.

Khosrau fait ses adieux à ses épouses et à son peuple. « Mes jours sont passés ». Puis, suivi de huit héros, « les grands, les vainqueurs des éléphants, les hommes au visage de lion », il se met en route vers la crête d'une montagne, malgré les lamentations de la foule. Il a appelé « les plus puissants de ceux qui composaient cette foule » et il leur a dit : « Tout est bien dans ce qui se passe ici, et il ne faut pas pleurer sur ce qui est bien ».

Or, quelque trois mille ans après Khosrau, un autre vieillard asiatique, du même âge, après avoir écrit aux siens une lettre où il dit à peu près les mêmes paroles que vient de dire Khosrau : « Comme les Hindous qui, vers l'âge de soixante ans, se retirent dans les forêts, il est naturel que tout vieil homme religieux veuille consacrer les dernières années de sa vie à Dieu », est parti seul, ou presque, dans la neige, pour mourir, comme va partir Khosrau; et les *derniers* mots tracés par Tolstoï, dans la gare d'Astapovo, seront exactement les mêmes que ceux du Roi des Rois : « Et tout est pour le bien, et des autres, et surtout de moi ».

Quelle était-elle, cette montagne de l'Assomption ? L'Elbrouz sacré, « contrée pure par excellence », semble-t-il. Et comment était-elle ? Dans les miniatures persanes, les montagnes ont des teintes exquises, mauve, saumon, lie de vin; parfois bleu pâle ou vert pâle, avec quelque chose de glacé. Mais nos charmants imagiers éludent le côté âpre du Livre des Rois : s'il faut en croire le roi lui-même, le décor de sa dernière heure fut sévère. Après une semaine qu'ils ont employée « à se reposer et à mouiller leurs lèvres desséchées, en se lamentant », Khosrau cherche à faire partir les héros. Il leur parle comme Jésus parle aux disciples quand il se retire dans l'olivette : il connaît leur faiblesse. Et il veut rester seul. Trois d'entre eux s'en vont, les autres restent.

Le désert et la sécheresse épuisent la petite troupe. Un soir, ils se reposent auprès d'une source : « Cette nuit, nous n'irons pas plus loin. Nous parlerons beaucoup du passé, car ensuite, personne ne me verra plus ». C'est « la nuit sur le mont Chauve » : depuis longtemps ce titre musical me hantait, mais j'ai résisté ici à la tentation de l'orchestration, de l'oratorio; je voudrais avant tout ne pas en remettre. (Et pourtant, quelle résonance dans ce « nous parlerons beaucoup du passé » !) Quand une partie de la nuit s'est écoulée, le Roi des Rois se prosterne, lave sa tête et son corps dans la source et dit : « Je vous fais des adieux éternels. Le soleil va brandir sa lance; dès lors vous ne me verrez plus qu'en rêve. Ne restez pas dans ce désert de sable, car il va tomber une neige telle que vous ne retrouveriez pas la route de l'Iran ».

Ils s'endorment : le sommeil des apôtres. Ont-ils pris la pose que prendra le Bouddha lorsqu'il sera pour mourir : « Il s'étendit à la manière des lions, couché sur le côté droit, un pied posé sur l'autre » ? Quand ils se réveillent, à l'aube, le roi a disparu. Tandis qu'ils le cherchent en vain, le ciel « prend l'aspect d'un œil de lion » (toujours ces lions qui reviennent). Une tempête de neige éclate. « Es-tu entré dans les trésors de la neige ? » (*Job*, 38). Ils y entrent. Elle les ensevelit.

Khosrau s'est évanoui comme Romulus, pendant une tempête; comme Élie avec son char de feu. A la place où il a disparu, un grand mythe descend, un de ces grands mythes qui nous viennent à tire-d'aile du fond des âges, et qui se posent quelquefois sur une montagne.

De Julien, mort, lui aussi, chez les Perses, Vigny a écrit qu'il prend la résolution de se faire tuer, quand il est sûr qu'il a été « plus avant que les masses stupides et grossières ne peuvent aller » (les masses qui veulent être chrétiennes). Khosrau, avant de mourir, a-t-il été jusqu'où les autres ne peuvent le suivre ? Sa renonciation est très humaine, et n'a pas beaucoup de poids. Il ne fait que rejeter le monde, quand bientôt le monde va le rejeter. Savoir partir à temps, est-ce donc œuvre si admirable, et surtout quand on est si las ? Au-delà de sa disparition, mystère. Se mue-t-il en ermite et vit-il dans l'ascétisme, jusqu'à sa mort naturelle ? (mais alors pourquoi ses prières, son attitude d'homme qui sent sa fin imminente ?) Meurt-il tout de suite ? (mais alors sa renonciation a moins de poids encore, puisqu'il n'a renoncé qu'à ce que la mort allait lui prendre). Disparu, demeure-t-il, comme le veut une tradition, à un endroit caché, où il attend le messie Shoshyans pour l'aider, à la fin du monde, à ressusciter les morts et à racheter les hommes ? En vérité, aucune de ces versions ne m'agrée. Qu'est-ce donc qui me transporte à sa suite, moi aussi, sur cette montagne, et pourquoi est-ce que, depuis des années, je volette et j'extravague autour de la lueur glaciaire qui émane de ce haut-lieu ?

Il me faudrait des livres, encore des livres, pour pénétrer le sens véritable de l'assomption de mon roi Khosrau. Mais j'ai trop joui pour avoir beaucoup lu. Et ce que j'ai lu, je l'ai oublié; le temps efface en moi, avant qu'il m'efface. A l'heure où j'aurais besoin de m'accoter à un paquet de connaissance, je cherche en tâtonnant et ne trouve que mon vide. Du moins Khosrau remplit-il mon vide de cette sublime atmosphère d'imprécision sacrée, où il n'est tenu compte ni des temps ni des espaces; où l'on ne peut identifier ni un individu ni un lieu; où le oui et le non tournoient enlacés; où tout s'échappe en autre chose; où tout me dit : « Je suis ce que je suis » et « Je suis ce que je ne suis pas »; où tout reste toujours possible; où tout se vaut, Socrate et Auguste, Khosrau et Jésus, les héros et les démons, les sages et les guerriers, les ermites et les sibylles, les centaures et les saints; tout cela, n'est-ce pas ? c'est la même famille; c'est la religion du plafond de la Sixtine, la religion de cet indéterminé que j'étais fait pour incarner dans ma personne et pour exprimer en un magnifique langage. Mais ma vie passe, et je n'ai encore accompli ni l'un ni l'autre, et je ne sais pas même si une telle synthèse est le produit dérisoire de mon ignorance et de ma faiblesse d'entendement, le phantasme monstrueux qui se recompose ailleurs, de tout ce qui, en moi, s'est défait et m'a fui; ou si c'est l'inverse, si la Montagne de l'Unité est le morceau de réel que j'arrache par à-coups à l'erreur et à l'ombre, aux heures où une partie de moi enfante des choses de lumière.

Textes sous une Occupation (1940-1944).

PORT-ROYAL

La sœur Angélique de Saint-Jean, janséniste, est «ôtée» du monastère de Port-Royal, comme rebelle, sur l'ordre de l'Archevêque de Paris, ainsi qu'onze de ses compagnes. Elles vont être remplacées par des sœurs de la Visitation, plus sûres. Elle dit adieu à la jeune sœur Françoise, qui reste. Sous le coup de la violence qui lui est faite, la sœur Angélique de Saint-Jean sent se préciser en elle une crise de doute religieux déjà latente avant l'évènement.

LA SŒUR FRANÇOISE

(...) Je ne veux pas que le carrosse vous emmène ! Je me coucherai en travers de la porte...

LA SŒUR ANGÉLIQUE DE SAINT-JEAN

Ne soyez pas extraordinaire.

LA SŒUR FRANÇOISE

Et pourtant, ce renversement que mon âme vient d'avoir...

LA SŒUR ANGÉLIQUE

Il n'est qu'un mouvement de la nature. La grâce n'entre point là-dedans.

LA SŒUR FRANÇOISE

Maintenant, encore vous cherchez à me rabattre. Toujours à me rabattre !

LA SŒUR ANGÉLIQUE

Je vous dis ce qui est.

LA SŒUR FRANÇOISE

Je me suis jetée à l'oratoire : il fallait prier tout de suite, coûte que coûte. Si je n'avais pas prié tout de suite, je crois que je me serais évanouie.

LA SŒUR ANGÉLIQUE

Quelle prière ? Quelles paroles ? De quels mots étiez-vous capable ?

LA SŒUR FRANÇOISE

Je crois que j'ai dit seulement : « Mon Seigneur et mon Dieu ! »

LA SŒUR ANGÉLIQUE

Rien d'autre que cela ? (*Geste vague de la sœur Françoise*). Vous avez tout dit.

LA SŒUR FRANÇOISE

J'écoutais; je ne pouvais m'empêcher d'écouter. Ma sœur, je vous en prie, répondez à ma question : est-ce un homme (*l'Archevêque*) qui nous juge coupables, ou est-ce un homme qui ne fait que gagner le salaire qu'on lui a payé d'avance ?

LA SŒUR ANGÉLIQUE

Ne cherchez pas à percer ces choses. Il y a de tout en certaines âmes. Et parfois dans le même moment.

LA SŒUR FRANÇOISE

Est-ce un homme qui croit en Dieu, ou est-ce, comme M. l'Évêque de... ?

LA SŒUR ANGÉLIQUE

Ne cherchez pas à percer ces choses. Si l'on perçait qui croit et qui ne croit pas...

LA SŒUR FRANÇOISE

Une personne écclésiastique qui ne serait pas ce que son habit fait paraître !

LA SŒUR ANGÉLIQUE

Peut-être qu'il y en a qui sont ainsi, et qui méritent surtout d'être plaintes.

LA SŒUR FRANÇOISE

Ah ! ma sœur, cette plainte ! de vous !

LA SŒUR ANGÉLIQUE

Quoi ! Nulle pitié pour qui, sous ce vêtement (*elle touche son scapulaire*), aurait un trouble, un doute...

LA SŒUR FRANÇOISE

Un doute sur quoi ?

LA SŒUR ANGÉLIQUE

Un doute... sur toutes les choses de la Foi et de la

Providence; un doute si l'ordonnance du monde est bien telle, qu'elle nous justifie de vivre comme nous vivons.

LA SŒUR FRANÇOISE

Pas de pitié pour qui, ayant ce doute, n'arracherait pas son habit dans l'instant, devenu un leurre abominable. Car Dieu punit quelquefois toute une communauté, pour le péché d'une seule.

LA SŒUR ANGÉLIQUE

Toute une communauté... punie... pour le péché d'une seule...

LA SŒUR FRANÇOISE

Et avec raison. Le mal d'un seul doigt peut rendre le corps entier malade.

LA SŒUR ANGÉLIQUE, *à part*

Qu'ai-je fait pour être à ce point abandonnée ?

LA SŒUR FRANÇOISE

Je n'aurais pas dû revenir et demander à Monseigneur sa bénédiction. Je n'aurais pas dû lui parler tant. Les positions sont prises; on se débat pour rien. Pendant que je parlais, vous priiez. C'est vous qui aviez raison.

LA SŒUR ANGÉLIQUE

Ai-je prié ? Je ne sais. J'étais dans un autre monde; j'y suis encore. Et peut-être je n'ai prié que par mes larmes.

LA SŒUR FRANÇOISE

Je les voyais tomber sur la croix de votre scapulaire...

LA SŒUR ANGÉLIQUE

Elles étaient bien là.

LA SŒUR FRANÇOISE

Ma Mère... laissez-moi vous donner ce nom de mère, maintenant que vous allez beaucoup souffrir.

LA SŒUR ANGÉLIQUE

Vous me le donnerez quand vous saurez comment j'ai souffert.

LA SŒUR FRANÇOISE

Ma sœur... Ma Mère, ma chère Mère, où êtes-vous ? Vous reverrai-je jamais ?

LA SŒUR ANGÉLIQUE

Je vous ai nourrie cinq ans, d'un lait que pas une mère... Mais je ne sais à quoi je pense en vous disant cela... Vous êtes assez grande, vous pourriez aller seule, quand même je vous quitterais. Or, je ne vous quitte pas; on ne quitte que ce qu'on cesse d'aimer.

LA SŒUR FRANÇOISB

Est-ce vous qui me dites cela ? Vous qui tantôt me reprochiez si fort cette petite amitié humaine où vous croyiez que je voulais prétendre ?

(*Elle prend la main de la sœur Angélique. Celle-ci dégage doucement sa main.*)

LA SŒUR ANGÉLIQUE

Il ne faut à aucun prix qu'un être, par sa trahison, nous décourage d'avoir plus jamais confiance en d'autres êtres. Il aurait trop gagné, s'il avait tué en nous la confiance faite à notre prochain.

LA SŒUR FRANÇOISE

Ah ! n'est-ce donc que cela !

LA SŒUR ANGÉLIQUE

Vous, vous avez compris ce que vous ne compreniez point. Pour vous viennent de s'ouvrir les Portes du Jour...

LA SŒUR FRANÇOISE

Quel jour ? A quel point terni !

LA SŒUR ANGÉLIQUE

Pour moi j'ai franchi les Portes des Ténèbres, avec une horreur que vous ne pouvez pas savoir et qui doit n'être sue de personne.

LA SŒUR FRANÇOISE

Quelles ténèbres ? Je prie Dieu qu'il me fasse la grâce d'être un jour dans le Ciel à vos pieds.

LE PREMIER AUMONIER, *entrant, venant de la cour*

Ma sœur, le carrosse... Ne tardez pas. Les Sœurs de la Visitation arrivent.

LA SŒUR ANGÉLIQUE

Les Sœurs de la nuit : la nuit qui s'abat sur notre monastère. Cette nuit-là, et l'autre nuit. (*Elle se prosterne*). Je baise le sol de la maison où peut-être je ne reviendrai plus, comme nous faisions baiser le sol à nos petites filles, dès que sorties du lit, le premier acte de leur journée, au temps des petites filles...

(*Elle baise le sol et se relève*).

LA SŒUR FRANÇOISE

Je serai fidèle à ce temps des petites filles. Je serai fidèle... Je serai fidèle...

LA SŒUR ANGÉLIQUE

Soyez fidèle pour toutes celles et pour tous ceux qui...

LA SŒUR FRANÇOISE

Vous retrouverez Dieu et Port-Royal partout. On n'est jamais seule quand on a la foi.

LA SŒUR ANGÉLIQUE

Mon enfant ! — Je ne sais ce que je retrouverai.

LA SŒUR FRANÇOISE *la regarde avec surprise, puis lui demande à voix basse*

Que voulez-vous dire ?

LA SŒUR ANGÉLIQUE, *se redressant*

Je veux dire que la nuit qui s'ouvre passera comme toutes les choses de ce monde. Et la vérité de Dieu demeurera éternellement, et délivrera tous ceux qui veulent n'être sauvés que par elle.

LES CARNETS

Altruisme

Nous lisons souvent des variations sur : « L'homme ne peut rien pour l'homme. On reste toujours seul ». C'est de la littérature, et fausse. L'homme peut tout pour l'homme.

On peut éprouver une telle joie à faire plaisir à quelqu'un, qu'on ait envie de l'en remercier.

Pacification instantanée par l'altruisme.

Qui s'est fié à toi, ne le déçois pas; ce serait te décevoir toi-même.

Nous allons d'être en être, comme le nageur en détresse va de bouée en bouée.

C'est encore une forme de la possession de soi-même, que nous échapper de notre être, pour ressortir dans les créatures que nous aimons.

1er juin. — Je voyais, dans cette nuit d'été, les fenêtres lumineuses des grands immeubles le long de la Seine, et puis au-dessus les étoiles. Et je me disais que, si merveilleuses que fussent les étoiles, j'aimais encore mieux les lumières des hommes.

« Apprenez à faire travailler les autres. C'est un des grands secrets de la vie. » Un secret que je n'ai pas connu, et que je ne voudrais pas connaître.

A condition qu'il ne soit pas irrémédiablement ignoble, rien ne sera plus sûr que de miser, avec un être, sur la « possibilité de noblesse » que j'évoquais plus haut. La meilleure preuve en est le succès, dans beaucoup de cas, de cette démarche profonde : aller se mettre sans réserve entre les mains de son ennemi.

Faute de n'avoir pas été mis devant certaines circonstances, un homme peut ingnorer toute sa vie qu'il a bon cœur.

Qu'on rende les gens heureux, une partie considérable de leurs maladies disparaîtra. Un petit bonheur par jour vaut mieux que tous les cachets.

Amour

La dernière des dernières qui dort, un bras sur ma poitrine, à cause de sa confiance je ne pourrais pas la rejeter.

Ce sont les petites affaires sordides — nourriture, habillement, finances, déplacements, etc... — qui causent une affreuse gêne de soucis et de temps perdu. Et ce sont les deux grandes affaires essentielles — l'amour et la création artistique — qui en causent le moins. Des vétilles vous donnent une peine écœurante. La grande aisance aérienne et divine accompagne ce qui justifie pour vous la vie.

Se garder de découvrir à un être à quel point on tient à lui, par crainte qu'il n'abuse de cette connaissance, je crois n'avoir jamais fait cela. Il est bien, il est doux, d'être imprudent avec ce qu'on aime.

Petite enfant, contre l'oreiller, pleine de cheveux sur vos épaules, il m'arrive de sentir monter en moi la possibilité de vous faire du tort. Puis j'y songe un peu, et je ne peux pas.

Aimer quelqu'un, c'est lui tenir tête sur la cuvette quand il vomit, et n'en être pas dégoûté; ou plutôt, l'en aimer davantage.

Les serins qui disent que la vie « n'a pas de sens », quand il y a toujours la possibilité de rendre heureux ce qu'on aime, et de se nourrir de son bonheur du même coup.

J'ai sur ma table une petite boîte ronde, en bois des îles odorant, dont le couvercle a été peint à la fin du XVIIIe siècle. Un bel arbre, une rivière, un pont en dos d'âne, un pêcheur, une « fabrique ». Et cependant, malgré la finesse de la peinture, malgré l'admirable lumière dorée qui baigne tout le paysage, cette composition me laisserait assez indifférent, s'il n'y avait aussi, s'engageant sur le pont, un jeune homme et une jeune femme. Si petits — moins d'un centimètre de haut, — et pourtant, grâce à eux, tout est transfiguré.

C'est le couple, c'est l'amour, c'est l'embarquement pour Cythère.

Le contour si exact de ce visage et de ce cou si purs, sur le coussin sombre, et ce corps si pur lui aussi, ce visage clair et reposé, si doucement offert, et tout ce qui se prolonge de bon derrière lui : l'affection, la sécurité, quatre ans et demi de cette affection et de cette sécurité, et n'avoir eu, en quatre ans et demi, pas un reproche à adresser... On sort de ce monde, et on rentre dans le monde des indifférents, des enquiquineurs, et des méchants. C'est le monde de ce visage qui vous permet de ne pas mourir de l'autre; c'est lui qui vous justifie la terre.

Égoisme

On me reproche d'être égoïste. Mais comment vivrais-je si je ne mettais pas des œillères ? Tout ce qui est mal me blesse, et, d'être trop blessé, on meurt.

Estime

Ceux que nous estimons ont un pouvoir redoutable, celui de nous blesser en nous décevant, que n'ont pas les autres.

Femmes

Une femme qui se vend, contre des promesses, est moins vile que celui qui les lui fait, si elles sont fausses.

Mon premier mouvement devant toutes les jeunes filles qui me plaisent a toujours été de les épouser. Ensuite, luttant contre moi-même, et tremblant de cette lutte. Je les désire toutes. En même temps, je les aime de cœur, et suis peiné par la tristesse de celles que je dédaigne, ou seulement auxquelles j'en préfère d'autres.

Une femme qui t'aime, ô mâle stupide, donne moins la mesure de ton pouvoir, comme tu le crois, que la mesure de sa grandeur.

Les hommes jugent plus sévèrement les femmes qu'elles ne les jugent, eux.

Ses pieds froids, sur mon front, sauraient me guérir de toute peine.

Français

On veut me forcer à haïr une partie de mes compatriotes, alors que mon cœur est avec eux tous.

Honnêteté

Un fonctionnaire qui pourrait me donner de bons renseignements (pour *La Rose de Sable*), mais on me dit qu'il fricote. Je préfère me passer de ces renseignements, et ne pas le connaître.

Rien n'est plus digne d'amour que tout ce que recouvre le mot : honnêteté.

On flétrit du nom d'inadaptés les honnêtes.

La raison de ma tristesse est moins le mal lui-même, que cette indulgence et cette complaisance pour la malhonnêteté que je rencontre chez nombre d'êtres, hommes et femmes, qui dans leur vie sont nets. Ils rient ou sourient des pires crapules, leur serrent la main, les invitent chez eux et sont invités par eux avec plaisir. Ensuite, on les voit communier, être stricts avec leurs enfants, etc..., et cela de bonne foi. Ces gens sont toujours frottés de « monde » plus ou moins. A côté de cela, il y a des êtres, sans éducation et sans monde, qui montrent devant la malhonnêteté un écœurement qui n'est pas feint. Je ne sais si leur vie est nette, et il est possible qu'elle ne le soit pas. Je sais seulement que certaines choses les écœurent, qui n'écœurent pas les autres, et cette différence est énorme.

Qu'est-ce qui est le plus important, un homme qui fait 260 kilomètres à l'heure en motocyclette, ou un homme qui, pouvant se faufiler impunément hors de certaine obligation embêtante d'un contrat, y demeure ?

Si nos vertus ne sont ni reconnues ni appréciées de personne, pourquoi les avoir, alors qu'humainement elles ne nous causent que du tort ? Pourquoi du caractère ? Pourquoi de la délicatesse ? Pourquoi du désintéressement ? Pourquoi toujours renoncer à quelque chose, toujours faire le mauvais marché ? — Pour n'avoir pas honte de soi; la réponse est si simple, et pourtant, à de certaines heures, elle semble si folle...

Des moments où l'on se dit que ce serait suffisant pour une vie, que quelqu'un ait dit de vous : « C'était un chic type ».

Chaque fois que je vois un être faire quelque chose de *chic*, ou de *propre*, cela me fait du bien. Cela me revigore, m'exalte même, me donne une sensation analogue à celle que vous donne une belle œuvre d'art; le monde m'est rendu, avec ou sans crête de feu au-dessus de lui. Mon climat est l'honnêteté. Y entrer est si peu fréquent que, le jour où il m'est donné de le faire, je marque ce jour d'une pierre blanche.

Pouvoir croire en l'homme. Non en ses talents, en son courage, etc... : d'eux on ne doute pas. Mais en son absence de mesquinerie, mérite beaucoup plus rare. Ce serait une raison de vivre.

Je rêve à une société dans laquelle tout le monde agirait bien. Quel autre homme on y serait soi-même ! Comme la vie vaudrait d'être vécue !

Les humbles

Un chien qui aboie vaut mieux qu'un homme qui ment.

Je ne pense pas, disant cela, à l'homme qui ment dans sa vie privée, ce qui est nécessaire et souvent salutaire. Mais à celui qui ment au peuple : l'homme politique, l'écrivain à « messages », le général, etc...

Charlataniser un directeur de journal, soit. Mais non charlataniser le peuple, qui ne peut se défendre par l'esprit.

Il faut bien se garder, si on écrit sur le peuple, d'en faire une matière à pittoresque et à réussites littéraires. Écrire avec ce comble de dénuement, que mérite le sien.

Les torts que nous subissons des puissants nous sont utiles, en nous montrant ce que cela peut être quand ce sont des obscurs qui ont affaire à eux. Nous apprenons des grands la compassion pour les petits.

Objectivité

Vertu sainte, qui a nom impartialité.

La plus noble fonction de l'esprit, et qui engage le caractère, est de rendre à chaque idée et à chaque être ce qui lui est dû.

Reconnaissance

Chez un être peu reconnaissant de nature, mais à qui l'on a rendu un service immense, la reconnaissance peut devenir une passion.

Sympathie

La sympathie que j'éprouve pour des gens qui me veulent du mal, et un mal impitoyable, est sans doute un des sentiments les plus étranges qu'un homme puisse trouver en soi.

Scandale

Il y a dans le scandale recherché en tant que tel quelque chose d'à ce point vulgaire, que la bonne grosse hypocrisie des familles en prend figure d'une conduite de qualité.

Si le « goût du scandale » existait, comme on le dit (je ne parle pas du goût de voir et de dire ce qui est), il témoignerait, chez qui l'aurait, de la même ineptie intime, du même caractère « pauvre type » que chez le rapin qui porte des pantalons bouffants ou chez l'étudiant qui porte un béret surchargé d'insignes, pour se faire remarquer.

Écrivains

Si je n'étais resté sans cesse en contact, et en contact étroit, avec les obscurs — en France, le peuple, en Afrique, les indigènes, — je serais misanthrope. Et je le suis si peu qu'à la parole de Rousseau : « Enlevez les hommes, et tout est bien », j'ai toujours répondu :

« Enlevez les hommes, et tout n'est rien ». Mais le peuple a été monopolisé littérairement comme il est monopolisé politiquement. Il faut qu'on en soit (dit-on) pour en bien parler, et même pour avoir le droit d'en parler. Mais est-ce que des bourgeois — un Pierre Loti (*Mon frère Yves*), un Daniel Halévy (*Visites aux paysans du Centre*), un Pierre Champion (*Françoise au Calvaire*), pour ne citer que des contemporains — n'ont pas parlé du peuple, inspirés par l'amitié, avec autant et plus de justesse que s'ils étaient sortis de lui ?

Toute ma vie, j'ai eu les passions à la surface, mais, dans le même temps, le fond calme comme le fond de la mer pendant la tempête. Il faut connaître les deux, et ensemble : ces attaches et ce détachement.

L'œuvre que j'apporte ne dépend pas des patries. Mais il faut du moins qu'on me laisse faire cette œuvre.

Que viennent-ils (Sainte-Beuve, Havet, etc...) nous parler de la « rhétorique » de Pascal ! L'âme puissante fait le style puissant, sans intermédiaire, sans recherche, sans surcharge. L'âme s'exprime à la pointe de la plume; l'âme coule de l'âme à la pointe de la plume comme l'encre coule du stylo à sa plume. Voilà comment « le style est l'homme même ».

Cela est surprenant, qu'ils ne sachent pas distinguer le style-âme et le style fabriqué.

XI

BIBLIOGRAPHIE SOMMAIRE DES ŒUVRES DE MONTHERLANT

La jeunesse d'Alban de BRICOULE.
Le Songe, roman, 1922.
Les Bestiaires, roman, 1926.
Les voyageurs traqués.
Aux Fontaines du Désir, 1927.
La Petite Infante de Castille, 1929.
Les jeunes filles.
Les Jeunes Filles, roman, 1936.
Pitié pour les Femmes, roman, 1936.
Le Démon du Bien, roman, 1937.
Les Lépreuses, roman, 1939.
La Relève du Matin, 1920.
Les Olympiques, 1924.
Mors et Vita, 1932.
Encore un instant de Bonheur, poèmes, 1934.
Les Célibataires, roman, 1934.
Service Inutile, 1935.
L'Équinoxe de Septembre, 1938.
Le Solstice de Juin, 1941.
Textes sous une Occupation (1940-1944), 1953.
L'Histoire d'Amour de la Rose de Sable, roman, 1954 (Plon).
Carnets (1930 à 1944), 1957.

[1] Sauf indication contraire, tous ces ouvrages sont édités chez Gallimard.

THÉATRE

L'Exil, 1929 (Éditions de la Table Ronde).
La Reine Morte, 1942.
Fils de Personne — Un Incompris, 1943.
Malatesta, 1946 [1].
Le Maître de Santiago, 1947.
Demain il fera Jour — Pasiphaé, 1949.
Celles qu'on prend dans ses bras, 1950.
La Ville dont le Prince est un Enfant, 1951.
Port-Royal, 1954.
Brocéliande, 1956.
Théâtre complet (Collection de la Pléiade).

[1] On pourra utilement consulter la bibliographie complète qui fait suite à Malatesta dans l'édition indiquée ci-dessus (Gallimard), et qui comprend notamment les tirages restreints. Cette bibliographie étant arrêtée à 1948, nous donnons ci-après les ouvrages parus depuis cette date :

Carnets XXIX à XXXV (1935-1939-1947) (Table Ronde).
Carnets XLII à XLIII (1942-1943-1948) (Table Ronde).
L'Art et la Vie (Denoël).
Serge Sandrier, 1948 (Droin).
L'Étoile du Soir, 1949 (Henri Lefebvre).
Pages d'Amour de la Rose de Sable, 1949 (Laffont).
Notes sur mon Théâtre, 1950 (L'Arche).
Coups de Soleil, 1950 (Plon).
L'Infini est du côté de Malatesta, 1951 (Gallimard).
Une Aventure au Sahara, 1951 (Société des Bibliophiles de Lyon) « Les XXX ».
Espanà Sagrada, 1952 (Wapler).
Le Fichier Parisien, 1952 (Plon).
Le Plaisir et la Peur, 1952 (M. Melsonn).
Les Auligny, 1956 (Amiot-Dumont).

BIBLIOGRAPHIE SOMMAIRE DES OUVRAGES CONSACRÉS A MONTHERLANT

Étienne Mériel. — *Henry de Montherlant* (Éditions de la Nouvelle Revue Critique, Paris, 1936).

J.-N. Faure-Biguet. — *Les Enfances de Montherlant*, avec lettres et dessins inédits de Montherlant (Plon, 1941). — Nouvelle édition, suivie de *Montherlant, homme de la Renaissance*, 1948 (Henri Lefebvre).

Michel Mohrt. — *Montherlant*, homme libre, 1943 (Gallimard).

Michel de Saint-Pierre. — *Montherlant*, bourreau de soi-même, 1949 (Gallimard).

Pierre de Boisdeffre. — *Métamorphose de la Littérature*, 1950 (Montherlant, ou le chevalier du néant, 3e édition, Alsatia).

Jacques de Laprade. — *Le Théâtre de Montherlant*, 1950 (La Jeune Parque, Nouvelle édition, 1953, Denoël).

Jeanne Sandelion. — *Montherlant et les femmes*, 1950 (Plon).

Pierre Sipriot. — *Montherlant par Lui-Même*, 1953 (Éditions du Seuil).

[1] La liste complète des ouvrages consacrés à Montherlant (dont nous n'avons cité que les principaux) figure dans l'édition courante de *Malatesta* (Gallimard) et dans le livre de Pierre Sipriot (période 1948-1953).

TABLE DES MATIÈRES

COOP ART
graphique

16, Cité Bergère
PARIS (IXe)

Dépôt légal No 68 1er trimestre 1958